les flamands

Robert Charles
9 August 1983
Bruxelles.

manu ruys

les flamands

un peuple en mouvement
une nation en devenir

préface de
g. eyskens, ministre d'état

lannoo | tielt | utrecht

vander | louvain | bruxelles | paris

Titre original :
De Vlamingen, een volk in beweging, een natie in wording

Avant-propos :
Henri Schoup

Traduction :
Guy van de Putte

Couverture :
Cis Verhamme

Imprimé par :
Lannoo sprl, Tielt - 1973

D/1973/45/25
ISBN 90 209 0478 7

Cet ouvrage a paru également en Anglais sous le titre : 'The Flemings, a people on the move, a nation in being'.

table des matières

préface

Si l'histoire du peuple flamand, dans ses aspects politiques, culturels et économiques, est bien connue ou en tout état de cause facilement accessible dans la littérature internationale, il n'en est pas de même de l'histoire du Mouvement flamand, c'est-à-dire de cette renaissance remarquable, ce renouveau étonnant d'un peuple que l'auteur de ce livre qualifie de 'nation en devenir'.

En effet, de nombreuses publications en langue néerlandaise ont été consacrées au cours des années à l'histoire du Mouvement flamand, aux efforts développés dans le domain linguistique, culturel, artistique, social, économique et politique par ceux dont le nom compte dans l'histoire de la Flandre. Mais il faut bien constater qu'il existe une absence d'ouvrages publiés en d'autres langues pouvant contribuer à faire mieux comprendre au-delà de nos frontières la véritable signification du Mouvement flamand à ceux qui s'intéressent à l'évolution des peuples et des nations.

Monsieur Manu Ruys, éminent journaliste et chroniqueur, nous offre maintenant la traduction française d'un de ses récents ouvrages qui a été immédiatement remarqué dans la communauté de langue néerlandaise. Les activités poli-

tiques se situent d'habitude dans un climat passionné et bien rares sont ceux qui parviennent à se distancer du quotidien pour donner des faits une interprétation dégagée d'éléments subjectifs. Sans doute, l'auteur se défend-il d'avoir voulu écrire un livre d'histoire, mais la remarquable synthèse qu'il nous offre, pensée et rédigée avec un détachement suffisant, nous donne un aperçu cohérent et objectif d'événements déterminants, ouvrant de la sorte la voie à un ouvrage plus fondamental auquel s'atteleront plus tard les historiens quand le recul du temps aura été jugé suffisant.

Les hommes politiques liront cet ouvrage avec intérêt et les acteurs privilégiés dans le déclenchement de certains événements en retrouveront ici la relation impartiale. La Belgique a été dotée d'une nouvelle Constitution organisant ce qu'il est convenu d'appeler 'un état communautaire', c'est-à-dire une structure de droit public qui s'efforce d'harmoniser les relations entre les deux grandes communautés de langue française et de langue néerlandaise qui constituent le contenu humain de ce petit pays; un petit pays qui se place à la pointe du progrès dans maints domaines, qui connaît une grande prospérité, un niveau de vie exceptionnel et un bien-être général indéniable. A maintes reprises, il nous est apparu que beaucoup de ceux qui s'intéressent à l'évolution politique de la Belgique, hommes de bonne volonté, intelligents par ailleurs, n'avaient de la signification véritable du Mouvement flamand qu'une conception des plus sommaires. C'est que le barrage de la langue les isole souvent de la communauté néerlandaise dont l'effort est si important dans le domaine culturel, économique et social et qui procure au pays une large part de son dynamisme productif.

Aussi avons-nous de nombreuses raisons de féliciter Monsieur Manu Ruys, auteur de la présente synthèse, qui lui a déjà valu en Flandre — à juste titre — les appréciations les plus flatteuses.

GASTON EYSKENS
Ministre d'Etat

avant-propos

Ce livre a été écrit par un Flamand pour rappeler à ses concitoyens que leur situation actuelle à l'intérieur de l'Etat belge est le résultat d'une longue lutte, déclenchée par une poignée d'hommes isolés, poursuivie en dépit de pressions économiques et morales toujours plus accentuées, jusqu'à la victoire de ceux qui, gardant la foi en la justice de leur cause, virent leurs efforts spectaculairement couronnés par les solutions que leur nation trouva aux problèmes qu'elle avait à affronter. Ce livre voit le jour à un moment où le phénomène appelé 'Mouvement flamand', déjà intégré dans l'histoire, risque de sombrer dans l'oubli, même auprès de ceux qui en furent les bénéficiaires.
S'il paraît aujourd'hui — moins d'un an après les premières éditions en néerlandais — en édition française (et anglaise), c'est que l'histoire d'une nation, redécouvrant ses valeurs originales et affirmant ses droits sans pour autant empiéter sur ceux des autres, nous a semblé mériter une plus grande audience. De plus, depuis qu'elle est devenue le centre administratif des Communautés européennes, de l'Organisation du Traité de l'Atlantique Nord et de maints autres organismes internationaux, la Belgique n'a cessé de susciter un intérêt toujours plus grand. L'éditeur a estimé que cet aperçu historique succinct pourrait aider les résidants étrangers à mieux comprendre l'opinion publique de leur pays d'accueil. Pour le Belge d'expression française enfin, ce livre revêt

une particulière importance. Lors de sa parution en néerlandais, la grande presse francophone de Bruxelles émit le souhait qu'une traduction française en soit faite. Les Wallons et les Bruxellois francophones ne disposent, en effet, pas d'ouvrages récents sur l'histoire et l'évolution de ce Mouvement qui les confronte aujourd'hui à d'importants changements politiques. Puissent-ils, grâce à cette étude objective, mieux comprendre la réforme de l'état et le bouleversement de la société dans lesquels ils se trouvent entrainés.

Ceux qui sont nés et élevés dans un pays culturellement homogène peuvent trouver étrange que de simples questions linguistiques puissent à ce point influencer les aspirations et susciter les antagonismes politiques. Sans doute la langue qu'ils parlent depuis leur enfance n'a-t-elle jamais été pour eux un sujet de réflexion. Ils la considèrent comme un instrument, aussi normal que les organes du corps humain, et ne réclament pour elle aucune marque de respect particulière, sauf s'ils sont poètes ou romanciers.
Afin de mieux comprendre la portée exacte de la question flamande, il est indispensable de se rappeler que la liberté de s'exprimer dans sa propre langue, la faculté de la manier correctement, conditionnent elles aussi le plein épanouissement de l'individu. Durant des générations, les Flamands ont été privés de l'une et de l'autre. Citoyens d'un état bilingue, confrontés à une langue et une culture différente, de portée internationale, pratiquée par les hommes au pouvoir — aussi bien dans le domaine économique que politique — ils ont vu la barrière linguistique se muer en une sévère barrière sociale.
Pour s'élever dans la société, pour y acquérir quelque influence et prestige, il était indispensable d'apprendre le français, ce qui eut pour conséquence que la langue néerlandaise parlée en Flandre tomba en désuétude et fut ré-

duite au rang de dialecte ou, plus précisément, scindée en une série de dialectes. Les rares intellectuels qui, au dix-neuvième siècle, décidèrent de contrecarrer ce processus et de préserver leur patrimoine national, n'avaient à espérer aucune aide extérieure, car les Pays-Bas, avec une langue érigée en un instrument de communication souple et vigoureux, refusèrent d'intégrer dans leur propre culture le Sud 'arriéré', alors que les Belges francophones purent toujours compter sur l'appui au moins moral de leurs voisins de France.

Il en résulta que les 'nationalistes' — le mot doit être pris au sens le plus large — étaient, en Flandre, astreints à un combat solitaire. Leurs motivations n'étaient pas celles d'un chauvinisme étroit, ni d'un attachement obsessionnel à un passé révolu ou mourant, mais celles uniquement d'une plus grande justice sociale.

Quant à la langue néerlandaise, si elle n'était pas morte pour autant, elle était réservée aux seuls gagne-petits, confinés dans leur état et incapables de s'assurer dans la société la place à laquelle ils avaient droit, sans abdiquer langue et culture ancestrales. Renier ce qui précisément dans toute autre nation est considéré comme droit du sang inaliénable, était payer un prix excessif et complètement injustifié, d'autant plus que, dans l'Etat belge, la population flamande constituait — et constitue toujours — la majorité.

Depuis la publication, par l'un des leurs, d'un essai sur la déconsidération de la langue maternelle, le but des leaders flamands n'a jamais été que de permettre aux néerlandophones de Belgique de s'épanouir pleinement sans avoir à adopter une culture étrangère. Dans tout autre pays une telle revendication serait allée de soi, mais, en Belgique, elle suscita des querelles qui durèrent pendant des générations. Aussi fallut-il un siècle, depuis la création de l'Etat belge en 1830, pour doter la communauté flamande d'une université où le néerlandais était adopté comme langue

véhiculaire. Tout bizarre que cela paraisse, il fallut un siècle aussi pour accorder pleine valeur légale à la version néerlandaise de la Constitution.
Dans la législation actuelle de la Belgique, divisant le pays en deux grandes régions unilingues et en une région bilingue, celle de Bruxelles, bien des choses peuvent paraître au profane, mesquines et vexatoires. Réaction toute naturelle d'ailleurs dans une Europe où les frontières nationales et les lignes de démarcation s'estompent, mais réaction qui fait fi des garanties nécessaires à l'exercice de la liberté pour le plus faible des deux partenaires qui se partagent la Belgique, car il est trop clair que les francophones, membres d'une grande communauté culturelle, continueraient à dominer le pays, si l'on n'y avait apporté quelque restriction.
C'est sous la pression de l'opinion flamande qu'en 1962 fut fixée la frontière linguistique. Au nord de celle-ci, c'est-à-dire en Flandre, l'administration publique, l'appareil de la justice et l'éducation, tant publique que privée, relèvent du rôle néerlandais. Au sud de la frontière, la Wallonie emploie exclusivement le français, alors que, constitutionnellement, Bruxelles est déclarée région bilingue où le citoyen flamand a le droit d'user de sa propre langue.
La Belgique francophone, à quelques exceptions près, a combattu ces mesures au nom de la liberté, en objectant qu'il incombait à un état démocratique de respecter le droit de la personne humaine plutôt que de déférer ces droits au territoire où le hasard l'a fait résider. Cet argument est séduisant à première vue, mais que penser alors d'un pays aussi foncièrement démocratique que la Suisse qui, afin de préserver la diversité des langues et des cultues à l'intérieur de ses frontières, a instauré les mêmes droits du sol ?
En outre, dans le but de briser la barrière linguistique socio-économique, le législateur, sous la pression toujours

de l'opinion flamande, a stipulé que les entreprises industrielles et commerciales devaient traiter leurs affaires dans la langue de la région où elles se sont établies. Comme le pouvoir financier était concentré principalement entre les mains des classes dirigeantes francophones, la direction des entreprises en Flandre était, en effet, francophone également, ce qui avait pour résultat, non seulement d'approfondir le fossé creusé entre les travailleurs et les patrons, mais aussi de forcer celui qui cherchait une promotion, d'adopter la langue du maître. Cette pression économique exercée sur les masses flamandes fut la cause principale de l'apauvrissement graduel et de la dégénérescence de la langue néerlandaise en Belgique. Mais, dès le jour où la direction des affaires, la politique et la recherche scientifique purent se faire en néerlandais, la langue reprit vigueur et retrouva ses lettres de noblesse. Dès ce moment, il redevint possible d'associer aux Pays-Bas la Flandre comme membre à part entière d'une seule et même communauté culturelle et linguistique.

Il apparaît donc que les lois linguistiques, loin de ne servir que les ambitions de quelques provincialistes frustrés — comme l'ont prétendu leurs adversaires — ont sauvegardé les valeurs essentielles qui assurent la survie d'une nation. Nées d'un souci de justice sociale, elles ont permis aux Flamands de se lancer dans le 'struggle for life' dans leur propre communauté, sans avoir à la renier.

Dans ce sens, les démocrates-chrétiens grâce auxquels cette législation fut adoptée, pourraient être qualifiés de progressistes, bien que l'auteur de ce livre les range politiquement à droite, par opposition aux socialistes et communistes, traditionnellement de gauche.

L'émancipation des Flamands étant un fait acquis, la Belgique restructurée en deux communautés nationales jouissant de droits égaux et la question linguistique n'absorbant plus toutes les énergies, il est permis à présent, comme dans d'autres pays avancés, de s'atteler à la solution de problèmes urgents, tels celui de l'avenir de la démocratie parlementaire, de la crise de l'éducation et des menaces mortelles qui pèsent sur l'environnement. Les Flamands n'oublient cependant pas que ceci a été rendu possible, grâce à ceux qui ont courageusement refusé de s'identifier à un type démodé de 'belgicisme' et qui ont défendu le droit à la vie de leur nation flamande.

Pour une meilleure compréhension de ce livre, le lecteur voudra encore bien se rappeler de ceci :
1. Il serait erroné de décrire le problème belge comme un conflit entre des Flamands néerlandophones d'une part, et des Wallons francophones de l'autre. Il serait tout aussi erroné de prétendre que tous les Flamands se sont lancés dans cette lutte pour l'émancipation de leur communauté. L'élite francophone était fortement implantée dans les provinces flamandes; les couches supérieures de la société, quoique d'origine flamande, y étaient presque entièrement francisées et étrangères aux revendications du Mouvement flamand. A cela, il faut ajouter l'influence francisante de Bruxelles, où des centaines de milliers de Flamands, pour des raisons de promotion économique et sociale, adoptèrent la langue française. C'est la raison pour laquelle l'auteur distingue des autres Flamands ceux qu'il appelle les 'flamingants' et qui furent les défenseurs des droits de leur communauté. Que le lecteur francophone belge n'y voie aucun sens péjoratif.
2. Le lecteur pourrait s'étonner du terme 'néerlandais' employé ici pour désigner la langue parlée par les Belges flamands. Mais le fait est que le néerlandais est la langue officielle de Flandre et qu'il partage cette qualité avec le français à Bruxelles. Il serait faux d'affirmer que les Flamands parlent 'flamand'. A quelques petites exceptions près, pas plus importantes que celles existant entre le

français de France et celui des élites du Québec ou de la Suisse romande, les Flamands cultivés parlent et écrivent la même langue (Nederlands) que leurs voisins des Pays-Bas.
Ils font usage des mêmes dictionnaires et encyclopédies que les Hollandais, et les manuels de littérature néerlandaise couvrent aussi bien les Pays-Bas que la Flandre. Le terme 'langue flamande' ne peut donc désigner qu'un dialecte.
3. Au recensement du 31 décembre 1970, les provinces flamandes comptaient une population de 5.432.790 habitants, soit 56,1 % de la population belge. La Wallonie comptait 3.187.007 habitants (32,9 %) et Bruxelles 1.071.194 (11 %). Si l'on y ajoute les Flamands de la capitale, la population flamande de Belgique couvre plus de 60 % de la population nationale.
Les populations de la Wallonie et de Bruxelles comptent parmi les plus âgées d'Europe, puisque respectivement 13,5 % et 15 % de leurs habitants ont 65 ans et plus, alors qu'en Flandre le pourcentage n'est que de 10,8 %. C'est ce qui explique, entre autres, sa croissance économique exceptionnelle depuis la dernière guerre.

introduction

dix siècles de gloire et de misère

La Flandre émergea du chaos du Moyen Age, il y a mille ans. Dix siècles plus tôt, des peuplades d'origine celtique occupaient les territoires délimités par la Meuse, l'Escaut et la Mer du Nord. L'autorité de Rome leur imposa ses lois et ses mœurs. A la civilisation latine succédèrent les incursions des tribus germaniques, franques principalement; à la guerre succéda la paix avec ses festins et ses mariages; il y eut un nouveau brassage de peuples, de langues et de coutumes. Après la retraite peu glorieuse des Romains et l'effondrement de leurs structures sclérosées, de nouveaux maîtres s'imposèrent : les prélats dans leurs abbayes primitives et les barons barricadés dans leurs fortins de bois et leurs tours de guet grossières entourés de fossés. Cette élite nouvelle s'imposa aux plus faibles : les petits paysans qui cherchaient protection auprès de leur seigneur le plus proche en échange de services, de nourriture, ou d'aide militaire quand le baron, s'ennuyant, cherchait noise à un baron voisin, ou quand il courait lui-même quelque danger. Un monde rude se construisait sur les ruines de villas romaines et d'institutions caduques, un monde de violence que les moines et les missionnaires tentaient d'endiguer à coups d'exhortations et d'anathèmes. Une population clairsemée, superstitieuse et illettrée, vivant dans des bois que traversaient des chemins peu sûrs, formait une société livrée au bon plaisir du démagogue le plus ambitieux qui, sans scrupule, essayait de renforcer son autorité, de fonder une dynastie et d'étendre sans cesse ses domaines. C'était l'époque de Clovis et de ses descendants, les Mérovingiens, sans cesse en lutte et s'entre-massacrant haineusement. C'était l'époque des Pippinides, de Charlemagne. Sous leur règne, pourtant, une première renaissance culturelle vit le jour. Grâce à leur intervention, le Christ triompha de Wotan dans les forêts germaniques. L'élan de l'Islam fut arrêté au pied des Pyrénées, dans les plaines, brûlées par le soleil, où périt Roland. Ces princes étaient des gens de chez nous : Clovis fonda son royaume à Tournai; Charlemagne résidait de préférence entre Meuse et Rhin, dans le triangle délimité par Nimègue, Aix-la-Chapelle et Herstal. Quand ils siégeaient sur leur trône de granit dans leurs rudes castels, le souvenir de la grandeur dorée de Rome les faisait rêver au rétablissement d'un empire dont ils auraient ceint la couronne. Mais la sombre marée de leurs aïeux avait déferlé partout, accumulant les ruines. La pyramide féodale était encore bien fragile. Leur pouvoir et leur œuvre se trouvaient constamment menacés ou saccagés par des incursions de tout ordre.

Ce fut en ces temps barbares où l'on se contentait de survivre, aux environs de l'an 900, que, près des côtes de la Mer du Nord, au milieu des tourbières et des marais, un des petits vassaux qui y exerçaient le pouvoir au nom du roi franc, s'enhardit à secouer le joug du gouvernement de Paris.

A Bruges, dans le pagus flandrensis, le comte Baudouin, fonctionnaire royal, profita d'une occasion favorable pour tenir tête à son lointain suzerain qui, d'ailleurs, n'avait rien fait pour le secourir lors des incursions normandes. Ces Normands n'avaient laissé derrière eux qu'un pays dévasté et épuisé. Aussi Baudouin imposa-t-il sans peine son autorité. „Il vit la Flandre vidée... et la prit en sa possession..." Le comte flamand, bien au courant des intrigues qui opposaient

à la cour de Paris les faibles Carolingiens, sut habilement assurer son pouvoir; il fit le jeu tantôt d'une faction, tantôt de l'autre, tout en étendant ses possessions vers le Sud. Bientôt on comprit, à Paris, l'ampleur des visées expansionnistes de ce comté qui, entre la mer et l'Escaut, revendiquait une plus grande indépendance et le respect de son particularisme. Le comté ne se forma pas sans crises, mais les comtes réussirent toujours à maîtriser la situation.
Les habitants de ce plat pays, entrecoupé de larges rivières, profondément pénétré par un bras de mer, s'échinaient à assécher les marais, à essarter les bois, à construire des digues, à tracer des routes. Ils assemblèrent des pierres pour élever à la gloire de Dieu des chefs-d'œuvre de beauté et de blanche pureté. Ils craignaient la violence et la furie des éléments; ils priaient mais savaient aussi s'abandonner à la folie des kermesses. Les femmes mirent au monde beaucoup d'enfants et en conservèrent suffisamment pour accroître la population. A côté des laboureurs taciturnes parut bien vite une race de commerçants avisés dans le troc, la vente et l'achat et qui, afin de mieux se défendre et assurer leur fortune naissante, construisaient leurs maisons côte à côte : les premiers noyaux de nos cités. Ainsi l'on vit grandir, entre l'an 1000 et 1300, les cités comtales de Bruges, Gand et Ypres qui, pour l'époque, furent des villes riches et puissantes, véritables carrefours de l'industrie et de la distribution, et qui n'avaient leurs pareilles en Europe que dans le nord de l'Italie.

Parallèlement à la formation du comté de Flandre, quoiqu'avec un siècle de retard, s'était créée sur la rive droite de l'Escaut une autre principauté. De l'union de petites seigneuries naquit au XIe siècle, autour de l'axe Bruxelles-Louvain, le duché de Brabant.
Aussi bien le comté de Flandre que le duché de Brabant se trouvaient coupés en deux régions linguistiques par la

frontière entre les dialectes roman et germanique, frontière née du temps des migrations germaniques en Gaule et qui, depuis, était restée quasiment inchangée. Les deux territoires avaient leurs 'quartiers' thiois et wallons, mais, dans les villes, la langue thioise ou néerlandaise dominait.
Peu à peu une organisation sociale plus solide vit le jour, grâce à la participation d'une classe moyenne dynamique, réunie en gildes, métiers et corporations. Tandis que le plat pays du nord somnolait encore — la Hollande était un pays humide, peuplé principalement de pêcheurs — la Flandre et le Brabant comptaient sur l'échiquier européen. En 1288, le duc de Brabant, Jean Ier, réussit à stopper les menées ambitieuses de l'archevêque de Cologne et à annexer, du même coup, le pays d'Entre-Meuse-et-Rhin. Peu de temps après, les cités flamandes repoussèrent, de façon tout aussi définitive, l'armée du roi de France. Cela se passait en 1302, dans la fameuse plaine de Groeninge, non loin de Courtrai, où les vainqueurs ramassèrent les 'éperons d'or' des chevaliers français morts au combat.
Ainsi fut assurée l'expansion des deux grandes provinces-clefs des Pays-Bas méridionaux. Au XIIIe siècle, elles avaient assis solidement leur puissance militaire, économique, politique et culturelle. C'était l'époque des chansons d'amour, des belles légendes et d'une architecture dont la richesse embellit les maisons et les cathédrales. Dans cette atmosphère d'aisance et de liberté prirent racine les traditions néerlandaises de tolérance et d'humanisme. Alors qu'en France le roi ne se souciait que de renforcer son pouvoir centralisateur et qu'en Allemagne le pays se morcelait en une infinité de petites principautés, le Brabant fut le premier état en Europe à supprimer, en 1248, le servage sur toute l'étendue de son territoire. C'est dans le Brabant encore que, par la charte de Cortenberg de 1312, fut promulgué un système de représentation démocratique. En 1356, la Joyeuse Entrée y élabora une véritable consti-

tution qui devait rester en vigueur jusqu'à la fin du XVIIIe siècle. Cette charte reconnaissait les Etats de Brabant où siégeaient la noblesse, les villes et le clergé. Les Etats décidaient de l'octroi de subsides financiers au duc et de l'opportunité de la guerre. Sans leur accord, le duc ne pouvait battre monnaie et, s'ils n'exerçaient pas le pouvoir, le prince, sans leur appui, était impuissant. De plus, une réglementation sévère octroyait à chaque citoyen des garanties judiciaires.
En Flandre, dès le XIVe siècle, les villes de Bruges, Gand et Ypres assumaient collégialement l'administration du comté. Les habitants étaient des 'hommes libres' : chartes et privilèges ne laissent aucun doute à ce sujet. Le pouvoir du seigneur féodal sur les cités et les citoyens était des plus restreints. L'on voit le marchand patricien gantois, Jacques Van Artevelde, mener, sans souci du comte ou du roi, sa propre politique étrangère.
Malgré les agitations et les menaces politiques, les provinces-clefs connurent un remarquable épanouissement.
Puis vint l'automne.

Le chef-d'œuvre manqué

A mesure qu'un mode de vie plus sophistiqué se substituait aux mœurs du Moyen Age, la Flandre et le Brabant, avec les principautés environnantes, se trouvaient entraînés dans le sillage de la Maison de Bourgogne. Celle-ci jouissait au XVe siècle d'un prestige singulier et caressait le dessein de créer, entre la France et l'Allemagne, un état tampon qui devait s'étendre de la Frise aux Alpes italiennes.
Grâce à une habile politique d'alliances matrimoniales, les Ducs de Bourgogne s'imposèrent en maîtres dans les Pays-Bas, tout en leur laissant leur indépendance et leur nationalité. Le duc de Bourgogne qui, à Bruges, était comte de Flandre, devenait duc de Brabant à Bruxelles. Les francs-

bourgeois des principautés thioises gardaient leurs libertés, quelque peu rognées, il est vrai, par les visées unificatrices des Bourguignons. Le rêve des Grands Ducs de l'Occident ne devait jamais se réaliser. Le roi de France était trop puissant. Le dernier duc trouva la mort après une effroyable bataille, à Nancy, en 1477. Le roi annexa la Bourgogne et tenta d'implanter son pouvoir dans les Pays-Bas. La réaction ne se fit pas attendre. Les Etats retrouvèrent leurs anciennes traditions dans leur opposition à l'impérialisme français.

Alors le ciel en Occident s'assombrit.

Les Etats-Généraux exigèrent de la duchesse héritière, Marie de Bourgogne, à peine âgée de dix-neuf ans, une nouvelle charte, le Grand Privilège, qui abolissait purement et simplement les institutions centralisatrices que les Ducs étaient parvenus à imposer. Afin de contrecarrer les tendances à la francisation, on proclama expressément langue officielle la langue de la région. Le comté de Flandre retourna au protectionnisme économique du siècle précédent. Le régionalisme ne connut néanmoins qu'un court triomphe. Désireux de s'opposer à l'expansionnisme français, les Etats marièrent leur jeune duchesse, pleinement consentante d'ailleurs, au fringant Habsbourg d'Autriche, Maximilien, 'le dernier chevalier de la chrétienté'. Ce mariage allait emporter les Pays-Bas dans le maelstrom de la politique habsbourgeoise.

Avec le XVI siècle, les Pays-Bas entamaient l'ère la plus dramatique de leur histoire. Un rapprochement s'était produit entre les régions fières et prospères. En Flandre et dans le Brabant, de même que dans les comtés de création plus récente tels que la Zélande, la Hollande, la Gueldre, Looz, l'Artois, Namur, le Hainaut, ainsi que dans la principauté ecclésiastique de Liège et l'évêché d'Utrecht, de timides démarches furent entreprises en vue de renforcer les liens qui les unissaient. Sous l'empereur habsbourgeois Charles

Quint, Gantois de naissance mais grand conquérant et protagoniste d'un état centralisé et consolidé, l'idée se fit jour que ces Pays-Bas pourraient bien former une communauté d'intérêts particuliers au sein de l'empire mondial. C'est pourquoi Charles Quint décida de réunir les Pays-Bas dans un Cercle de Bourgogne. Malgré le vieux particularisme, un sentiment national néerlandais prenait lentement naissance.
Un état panneérlandais ne devait cependant jamais voir le jour.
Sous Philippe II, le Habsbourg d'Espagne, fils et héritier de Charles Quint, qui lui avait transmis ses droits souverains sur les provinces du Cercle de Bourgogne, une crise déchirante éclata.
Le Moyen Age, avec sa soif d'un ordre universel basé sur Dieu et l'Eglise, appartenait à un passé révolu. L'Europe était entrée dans une ère de découvertes révolutionnaires dont elle allait tirer un grand profit, tant géographique qu'intellectuel. La terre avait cessé d'être le centre de l'univers. Par-delà les océans, de nouveaux continents étaient découverts ainsi que des peuples aux cultures et trésors inconnus. L'économie de l'Occident en fut bouleversée et les imaginations s'enflammèrent.
Une élite, longtemps docile, rompit son silence, s'ouvrant à l'interrogation, à des conceptions morales et métaphysiques nouvelles, allant jusqu'à contester les vieilles doctrines religieuses et un Vatican de plus en plus déconsidéré. Monarques puissants, ministres et juristes imposèrent un cours nouveau aux idées et aux systèmes politiques.
Le développement de l'esprit critique, les échanges intellectuels plus nombreux, joints à la prospérité croissante et à l'exaltation de l'antiquité préchrétienne, favorisèrent la tolérance et une liberté d'esprit qui ne se privait plus de remettre en cause les fondements mêmes de l'autorité, ce dont les pouvoirs publics finirent par prendre ombrage.

Cette révolution des cerveaux et des âmes ébranla particulièrement les Pays-Bas, terre traditionnellement accueillante aux tendances nouvelles. A Madrid, le roi Philippe, autoritaire et catholique, s'inquiétait des projets de réforme de plus en plus nombreux qui risquaient de saper les bases politiques et religieuses de son pouvoir. La Couronne et l'Eglise devaient rester au-dessus de toute critique. Aussi chargea-t-il le tribunal de l'Inquisition de la chasse aux 'hérétiques'. En même temps fut lancée une campagne d'hispanisation des institutions néerlandaises. A Bruxelles, où le français était depuis un siècle et demi la langue des classes dirigeantes, des pressions s'exercèrent pour imposer l'espagnol.
Il s'agissait bel et bien d'une déclaration de guerre aux Pays-Bas dont le libéralisme tolérait mal le régime clérical et étouffant de l'autocrate espagnol.
Pourtant on n'en était pas encore à la sécession. L'aristocratie locale, désireuse de préserver le caractère propre des institutions nationales autant que sa loyauté envers le souverain légitime, s'en tenait à une méthode d'accommodements diplomatiques. Au début, on crut possible un arrangement pacifique. Marguerite de Parme, régente éclairée et qui connaissait la mentalité de ses provinces, réussit à neutraliser les initiatives agressives de son premier ministre, l'évêque français Granvelle. Mais la détente fut de courte durée. Effrayé de l'avance rapide du protestantisme, Philippe II instaura une répression impitoyable, menaçant dans leurs biens et même leur vie des dizaines de milliers de partisans de la nouvelle religion.
La noblesse, fortement influencée par les idées humanistes d'Erasme, inquiète au surplus d'une hispanisation croissante de la vie publique, décida enfin de résister. D'abord un 'compromis' fut conclu. Le 5 avril 1566, le jeune comte de Bréderode, entouré de trois cents nobles, se rendit chez la régente pour l'exhorter à supprimer l'Inquisition et à

convoquer les Etats-Généraux. Marguerite promit de soumettre au roi un projet qui, il est vrai, ne supprimait pas la persécution des hérétiques, mais modérait le zèle des inquisiteurs. Après la réception, un grand dîner fut offert par le seigneur de Bréderode, où retentit pour la première fois le célèbre cri de 'Vive le Gueux', dont l'origine demeure obscure et qui servit de signe de ralliement aux insurgés antiespagnols.

La clémence amorcée eut des conséquences tragiques. Les protestants l'interprétèrent comme une reconnaissance virtuelle de la liberté religieuse.

Leur impertinence et leur témérité s'en accrurent au point qu'en août 1566 des bandes de calvinistes surexcités mirent à sac un certain nombre d'églises catholiques, cambriolant les trésors, détruisant incunables précieux, statues et tableaux. A Anvers surtout, les 'iconoclastes' se distinguèrent; d'autres villes de Flandre et des provinces septentrionales eurent à supporter, elles aussi, leurs excès. La cour, la noblesse, l'opinion publique réprouvait hautement de tels débordements. Une action militaire fut lancée contre les hérétiques rebelles. Un serment de fidélité inconditionnelle au roi fut exigé des nobles, des fonctionnaires et des soldats. L'aristocratie hésita. Si de nombreux nobles catholiques jurèrent leur soumission à l'Espagne, et parmi eux le très populaire comte d'Egmont, par contre le prince d'Orange, les comtes de Hornes et de Bréderode s'y refusèrent. L'opération militaire d' 'épuration' entamée par la régente eut rapidement raison des rebelles. L'ordre rétabli, Marguerite de Parme put espérer qu'une amnistie royale rétablirait aussi la concorde. Mais Philippe II en jugeait autrement. A sa demande, le duc d'Albe, à la tête d'une armée de soudards espagnols, se dirigea vers les XVII Provinces, afin d'y effacer à tout jamais les dernières séquelles de particularisme néerlandais et protestant.

Avec le duc d'Albe débuta l'ère de la terreur. Le comte

d'Egmont — soupçonné de trahison malgré son serment — et le comte de Hornes furent décapités sur la Grand-Place de Bruxelles; à leur suite, des milliers d'autres furent exécutés. Plus de cent mille citoyens, principalement des calvinistes, mais aussi des catholiques, parmi lesquels de nombreux membres de la noblesse, quittèrent les provinces méridionales pour aller s'installer en Hollande et en Zélande, où les Espagnols n'avaient pas réussi à rétablir l'autorité du roi et où le prince d'Orange avait pris la tête de la résistance nationale. La Pacification de Gand, le 5 novembre 1576, fut la dernière tentative d'une union néerlandaise opposée à l'absolutisme espagnol.
Deux ans à peine après sa conclusion, le Pacte par lequel les XVII Provinces néerlandaises se promettaient assistance mutuelle, s'avéra impuissant à soustraire les provinces méridionales à la reconquête et à contrer la politique militaire et diplomatique entreprise par le brillant général du roi, Alexandre Farnèse. Le 17 août 1585, celui-ci prit Anvers. Le même jour, une flotte hollando-zélandaise du Nord non occupé entreprit le blocus de l'Escaut.

Ainsi fut arrêtée la lente évolution vers une configuration politique néerlandaise et échoua l'œuvre entreprise par les comtes et les communes, poursuivie avec talent et énergie par les Etats, les Ducs de Bourgogne et Charles Quint, œuvre qui aurait pu devenir un modèle de communauté nationale. A ce moment, il est vrai, aucune unité économique ne liait encore les Pays-Bas, mais on pouvait entrevoir déjà des échanges et une collaboration fructueuse entre la métropole anversoise et les ports hollandais, en plein essor. Malgré des différences régionales, un tissu de liens culturels couvrit l'ensemble des Provinces. Dans cette société en expansion où l'harmonie aurait pu être possible entre une bourgeoisie réaliste et industrieuse et une noblesse attachée à son peuple, comme entre deux religions se res-

pectant dans une coexistence érasmienne, la dictature politique de l'Espagne et l'intolérance cléricale en disposèrent autrement.
Les sept provinces septentrionales devinrent une république protestante que le Traité de Munster de 1648 devait reconnaître comme état souverain, tandis que les principautés groupées sous l'appellation de 'Pays-Bas catholiques' restèrent provisoirement sous la férule des Habsbourg.

Délabrement et stagnation

De gros nuages s'amoncelèrent dès lors sur les Pays-Bas méridionaux. Son élite, émigrée vers le Nord, contribua à l'enrichissement de la langue et à l'épanouissement du Siècle d'Or. Quant au Sud, il resta 'fidèle' au Roi et à Rome... qui ne lui laissaient pas d'autre choix. La Hollande — ainsi appela-t-on désormais, du nom de sa province la plus importante, la puissante république du Nord — ne s'affecta guère de la scission des Pays-Bas. La fermeture de l'Escaut paralysant le port d'Anvers, les armateurs et marchands hollandais en profitèrent pour organiser, avec une ténacité remarquable, leur propre expansion, sans se soucier le moins du monde de leurs frères moins favorisés. Sous le règne d'Albert et Isabelle, les provinces catholiques connurent encore le bref essor de l'art baroque, mais peu à peu ce fut l'assoupissement, le silence de l'impuissance politique, de la résignation, de l'indifférence. L'élan spirituel était brisé. Tandis qu'au nord des grandes rivières la culture néerlandaise s'établissait sur des bases solides, au sud les pierres des cathédrales s'effritaient. Les vénérables parchemins disparurent. Plus aucun grand écrivain ne se manifesta. L'unification de la langue véhiculaire, commune au Nord et au Sud, céda devant la recrudescence des dialectes et de l'argot populaire.
Les Pays-Bas méridionaux devinrent le champ de bataille

de l'Europe, où les troupes françaises affrontaient des coalitions diverses. Dans ces frivoles 'guerres en dentelles', d'aristocratiques officiers pommadés commandaient une soldatesque de mercenaires, parcourant les villages, ivres de vin, de saccages, de viol et de terreur.
Dans les villes végétait une bourgeoisie amorphe, francisée dans ses couches supérieures. Il est vrai que celle-ci s'était distancée de la langue populaire; déjà au Moyen Age régnait un snobisme francisant. (Dans le Roman de Renard, on se moque du chien Courtois qui parle français...) Les Ducs de Bourgogne, en bons princes français qu'ils étaient, entretenaient un climat social et culturel copié sur celui de la France. De son contact direct ou indirect avec l'élite presque exclusivement francophone établie à Bruxelles et dans d'autres villes des Pays-Bas méridionaux — gouverneurs, prélats, hauts fonctionnaires, riches et puissants — la langue thioise des populations rurales ne pouvait pas ne pas être affectée. Même les nobles, révoltés contre le roi d'Espagne, usaient de préférence du français. C'est ce qui explique l'échec des tentatives de Philippe II pour ranimer une élite espagnolisante.
Au XVIIe siècle la francisation s'accentua. Si, en famille, la petite bourgeoisie s'en tenait à un parler local assez fruste, en public, dans ses relations sociales, elle préférait le français. De là une menace dangereuse pour le caractère néerlandais des Pays-Bas méridionaux.
Ailleurs en Europe l'existence d'une culture nationale formait un sérieux contrepoids à l'expansion culturelle française. Antidote de la propagation du 'siècle français', ce contrepoids fit singulièrement défaut dans nos contrées, où régnait un grand vide intellectuel. Personne n'opposait une quelconque résistance à la francisation toujours plus poussée, fait d'une élite et du voisinage des anciennes principautés wallonnes; en effet, celles-ci avaient toujours vécu en rapports étroits avec la Flandre et le Brabant et appar-

tenaient à présent également aux Pays-Bas catholiques.
Au milieu du XVIIIe siècle, et ce durant quelque trois ans, des troupes françaises vinrent occuper nos provinces qui, entre-temps, étaient passées sous le gouvernement des Habsbourg d'Autriche. Cela non plus n'était pas favorable à l'intégrité culturelle du Sud néerlandophone.
Aucun soutien n'était à espérer de la République du Nord qui, d'une poigne ferme, étranglait économiquement nos provinces. Ils étaient bien oubliés les compagnons d'infortune de jadis, pis encore, méprisés. Au Traité de la Barrière, de 1715, nos provinces passèrent virtuellement sous la tutelle militaire de la Hollande qui entretenait des garnisons dans quelques villes importantes, et ceci jusqu'en 1785. La Flandre avait été amputée en outre d'une importante partie de son territoire, au profit de la France. Les Pays-Bas méridionaux apparaissaient vidés de leur âme, fermés à tout avenir propre, résignés à une quelconque assimilation qui, définitivement, étoufferait leur personnalité néerlandaise.

Pourtant dans la seconde moitié du XVIIIe siècle, un vent nouveau souffla, quoique fort modestement. La misère engendrée par les guerres européennes s'allégeait un tant soit peu et, dans la quiétude des villes, dans le Brabant principalement, des hommes attentifs au message du siècle des lumières prêtaient l'oreille aux échos des temps nouveaux. Des livres venus de Paris et des universités allemandes véhiculaient des idées nouvelles, engendrant un besoin de réformes profondes qui n'avaient rien d'utopique. On se prit à étudier des notions telles que nation, peuple, langue, et aussi le droit de promouvoir les valeurs 'nationales', fût-ce à l'encontre des puissances dynastiques traditionnelles.
La confrontation avec les idées nouvelles fut largement facilitée par le climat de libéralisme modéré que fit régner l'empereur Joseph II. Ce 'despote éclairé' voulut instaurer

dans son empire, ainsi que dans les Pays-Bas catholiques, des réformes qui, aux uns parurent bien trop conservatrices encore, alors qu'elles semblaient extravagantes à quantité d'autres. N'empêche ! Avec un lent réveil intellectuel s'amorçait une prise de conscience et une première protestation contre deux siècles de somnolence...
Un an avant la Révolution française, en 1788, un avocat bruxellois, J.B.C. Verlooy, venu d'une famille rurale campinoise, rapidement reconnu comme un des principaux révolutionnaires libéraux de son époque, publia une remarquable *Dissertation sur la déconsidération de la langue maternelle dans les Pays-Bas.*
Dans ce premier ouvrage, bien écrit et qui allait faire autorité, Verlooy s'en prend violemment à l'introduction systématique du français et prône, avec des arguments percutants, le rétablissement de la langue populaire. Sa péroraison fait appel à l'union de tous les néerlandophones pour la défense, au-delà de la séparation politique, d'une langue et d'une culture communes. Ce plaidoyer, seul de son genre, n'eut qu'un retentissement restreint. Ce ne fut que beaucoup plus tard que fut reconnue sa valeur historique dans la prise de conscience du nationalisme flamand. Bien des nuages encore allaient s'accumuler avant qu'il ne soit fait écho à cette plaidoirie. Les Pays-Bas méridionaux allaient se trouver confrontés à de nouvelles et choquantes provocations...

Au bord de la francisation

L'année 1789 marque en France la ruine de l'Ancien Régime. La Révolution qui avait éliminé définitivement une dynastie séculaire, donna à la bourgeoisie une liberté inconnue jusque-là, mais dont elle allait faire bien mauvais usage au cours du siècle qui s'amorçait.
Quelques mois avant la prise de la Bastille, en 1789 tou-

jours, les Pays-Bas catholiques, eux aussi, se soulevèrent contre leur souverain. Joseph II, le progressiste, s'était attaché pourtant au relèvement de nos provinces : il avait supprimé les garnisons hollandaises et le Traité de la Barrière, tenté — en vain — de débloquer l'Escaut, rétabli la liberté religieuse et mis un frein aux ambitions du clergé. Mais la réforme des vieilles institutions administratives et judiciaires, qu'il s'était employé à centraliser davantage, avait été très mal accueillie par les Etats de Brabant. Devant leur opposition ouverte, l'empereur fit quelques concessions qui ne calmèrent pas les mécontents. Ceux-ci allaient s'affronter en deux factions rivales. Les conservateurs reprochaient à l'empereur son intention de supprimer les Etats traditionnels. A la tête de ces 'statistes' soutenus par le haut-clergé et les doyens des corporations, se trouvait l'avocat bruxellois Henri Van der Noot. Puissants surtout dans le Brabant, ils étaient partisans d'un Sud indépendant, éventuellement soutenu par la république du Nord. Quant aux opposants démocrates libéraux, ils jugeaient trop timides les réformes de l'empereur. Leur chef était Jean-François Vonck, encore un avocat bruxellois, entièrement gagné aux idées de la Révolution française, et appuyé par J.B.C. Verlooy.
La réforme des Etats de Brabant, décidée par Joseph II, mit le feu aux poudres. Devant le refus des Etats d'entériner ses décisions, l'empereur se résolut à les dissoudre et à supprimer de ce fait l'ancienne charte de la Joyeuse Entrée. Devant une mesure aussi brutale, la réaction fut vive et déclencha la 'révolution brabançonne', ralliée sous le drapeau noir-jaune-rouge de l'ancien duché. Les autres régions aussi s'agitèrent, comme si un sentiment communautaire avait pris naissance entre les principautés historiques de Flandre, du Brabant et du Hainaut. Mais la principauté ecclésiastique de Liège se rallia à la Révolution brabançonne bien qu'elle n'eût jamais appartenu aux Pays-Bas et que,

depuis deux siècles, elle fût devenue très francophile.
Au début, le succès sembla assuré. Une petite armée des Etats chassa les faibles troupes de l'empereur qui, aux prises avec les Turcs, ne put intervenir immédiatement. L'indépendance tant espérée avorta néanmoins, à cause des divergences entre statistes et vonckistes sur la structure des nouvelles institutions. Seules les plus anciennes provinces, la Flandre et le Brabant, se montraient favorables à une nouvelle forme de gouvernement commun. Liège hésitait. Il n'existait pas encore à ce moment de véritable sentiment national. Les Etats belgiques unis proclamés, la construction politique n'en demeura pas moins très précaire. La fédération ne fut reconnue que sur le plan de la défense et de la politique étrangère. Dans tous les autres domaines triomphaient le particularisme et le provincialisme. Aussi la désillusion des vonckistes fut-elle grande.
Quand, après la mort de Joseph II, son successeur Léopold proposa un compromis reconnaissant aux Pays-Bas méridionaux une autonomie assez large, une majorité de statistes s'y opposa.
Peu de temps après, la fédération belge s'écroula, bien plus à cause de l'incapacité de l'archiconservateur Van der Noot, qu'à cause du retour des troupes autrichiennes. La domination de Vienne pourtant touchait à sa fin. A Paris, une nation avait déclaré la guerre à l'Europe entière et, en 1792, les Pays-Bas autrichiens furent envahis par les troupes françaises. Après un retour temporaire des armées impériales, la Flandre, le Brabant et les autres provinces furent annexés au territoire français en 1794.

L'occupation française, qui devait durer vingt ans, constitua pour la communauté néerlandophone des provinces méridionales la plus grande menace qui eut jamais pesé sur son existence. L'aliénation des classes dirigeantes avait débuté après la scission du XVIe siècle et s'était poursuivie jusqu'à l'arrivée des troupes françaises. Sous le régime habsbourgeois, aucun sentiment national capable de s'opposer à la francisation ne se fit jour. Noblesse et bourgeoisie tenaient leurs antennes braquées vers Paris, tandis que le petit peuple, miséreux et quasi illettré, parlait un dialecte des plus frustes.

Ce peuple, allait-il s'opposer longtemps encore à son absorption par le prestigieux état français ? L'opinion publique, outrée des excès des 'sans-culottes' qui se comportaient en ennemis de la religion et de la foi, se révolta d'abord contre le nouveau régime. Mais ni le dégoût ni la colère ne constituaient une arme suffisante contre la politique française d'assimilation profonde et rapide. Les anciennes principautés, derniers vestiges des Pays-Bas d'antan, furent supprimées et remplacées par des départements. L'administration et l'enseignement furent réorganisés à la française.

L'annexion ne posa pas de grands problèmes à Liège et dans le Hainaut. La Brabant par contre renacla et, vers la fin de l'année 1798, éclata une 'Guerre des Paysans' qui devait durer deux mois. Cette 'guerre' se limita en fait aux escarmouches d'un maquis protégeant les jeunes réfractaires au service militaire. Révolte qui ne fut qu'une étincelle. A une répression violente succéda la résignation. Napoléon devint empereur et mit un terme à la politique antireligieuse de la République. Il s'attacha à la relance économique et fit ouvrir l'Escaut. Mais la francisation se poursuivit et, petit à petit, s'imposa dans les actes officiels, documents, pièces enregistrées. Même les frontons des bâtiments publics ne s'ornaient plus que d'inscriptions françaises. Dans les communes des Pays-Bas méridionaux, les plaques des noms de rue devinrent bilingues et devaient le rester jusqu'en 1932...

Ainsi la Flandre et le Brabant furent englobés dans la sphère d'influence française. Ce qui, du côté des classes

dirigeantes, ne causa aucun problème; elles étaient prêtes à adopter la citoyenneté française.
Après vingt années de régime français, les bases étaient jetées pour une absorption complète, en l'espace de deux générations, du Sud néerlandais par l'occupant français.

Mais on n'en arriva par là. La gloire militaire de Napoléon faiblit, renforçant les antipathies envers l'Empire. Bien que l'opposition se manifestât avec moins de violence que dans le reste des territoires conquis de l'Europe, l'assimilation périclita. Ce qui principalement exacerbait les populations, c'était l'enrôlement forcé de tant de jeunes appelés à combler l'hémorragie de l'armée française. Puis ce fut le déferlement d'événements historiques : la chute de l'Empire, le bannissement de l'Empereur à l'île d'Elbe, le retour et les Cent jours et, en 1815, Waterloo.
L'écroulement de l'empire français marqua la fin d'une longue et sombre période où la chance de conquérir leur indépendance fut refusée aux Pays-Bas méridionaux.
Ce fut aussi l'amorce de leur soulèvement...

chapitre premier

la réunification prématurée (1815-1830)

Voilà donc les Pays-Bas méridionaux libérés. Mais libérés de quoi ? Et qu'allait-il en advenir à présent ? Le renouveau économique, surtout profitable à la bourgeoisie, était une réalité solide. Cependant les territoires libérés n'étaient dotés d'aucune personnalité politique propre. L'ascendant de la France avait fait son œuvre. Le petit peuple ne s'en trouvait guère affecté, mais il n'avait pas voix au chapitre. Peu touché par les événements, il trimait en silence tout au soin d'assurer sa subsistance. La classe dirigeante — noblesse, bourgeoisie et haut clergé — se souciait peu d'une population dont les séparait d'ailleurs la barrière des langues. Même un remaniement territorial n'était pas en mesure de supprimer cette barrière. Les séductions de la culture française restaient très fortes.

En reconnaissance du soutien apporté aux alliés dans leur guerre contre Napoléon, les vainqueurs offrirent au roi de Hollande les anciens Pays-Bas catholiques séparés, depuis le XVI siècle, de la République-unie. Cette décision consterna les habitants des territoires cédés, restés allergiques pour plus d'une raison au Nord protestant qui, de son côté, ne lui témoignait que méfiance.

La tâche du roi Guillaume ne fut pas aisée. Autocrate éclairé, favorisant l'essor de l'économie, il était fortement décidé à amalgamer contre vents et marées, en un état moderne, toutes les disparités. Aussi, se refusant à restaurer l'ancien régime et à ressusciter les anciens états, se prit-il à rêver d'un grand état néerlandais centralisé, avec un souverain et une langue unique.

Ce fut pour le Sud une véritable provocation, sauf peut-être pour le petit peuple, assuré désormais que la guerre était finie et que l'empereur n'enverrait plus ses fils à la boucherie d'un lointain champ de bataille.

La bourgeoisie, elle, était accablée. Mais que faire ? Les libéraux qui auraient préféré la citoyenneté française, comprirent que toute possibilité d'annexion des provinces méridionales à la France était exclue; leur grande crainte était le rétablissement du système autrichien. Ils se résignèrent donc à ce moindre mal qu'était l'acceptation du régime hollandais, prêt, leur semblait-il, à instaurer la liberté commerciale. Les conservateurs catholiques et le clergé s'inclinèrent devant la décision sans appel des grandes puissances, se promettant bien de ne pas se laisser assimiler et de poser leurs conditions.

Dans le Nord calviniste, depuis des siècles indifférent au sort des provinces catholiques, on était loin de soutenir le roi dans ses projets de rénovation et de centralisation. On y traversait une période d'apathie culturelle, bien éloignée de la vivacité des milieux libéraux francophones du Sud. Depuis longtemps, toute notion de parenté linguistique ou culturelle avec les anciennes provinces-sœurs, le foyer culturel original, s'était perdue. Le Nord aurait préféré voir le Sud évoluer dans le sillage de la France, ce qui l'aurait mis à l'abri de toute 'contagion' papiste. Mais il fallut bien s'incliner devant la volonté du souverain, en souhaitant secrètement que les nouveaux territoires soient tenus en bride. A Amsterdam, ville qui donnait alors le ton, on redoutait l'essor économique et industriel des provinces méridionales plus peuplées, c'est-à-dire l'éveil d'une puissance concurrente le long de l'axe Gand-Anvers-Liège...

Si d'un point de vue économique elle ne fut pas un fiasco,

il ne demeure pas moins vrai que, politiquement, cette unification qui dura quinze ans fut déprimante, engendrant des frustrations et créant des frictions réciproques. Dans les provinces méridionales, Guillaume Ier se trouvait constamment confronté aux réactions d'une élite francophone qui, riche de l'expérience française, disposait d'un savoir-faire administratif et même politique, et d'une remarquable assise sociale. Sentimentalement liée à la France, elle se passionnait plus pour les faits divers de Paris que pour les événements d'Amsterdam. Une difficulté supplémentaire pour le roi et ses fonctionnaires résidait dans l'antipathie qu'éprouvait la population pour la langue ('hollandaise') et la religion (protestante) des occupants car, attachée à ses dialectes flamands, brabançons ou limbourgeois, elle était dépourvue de tout sentiment communautaire néerlandais. Il va de soi que dans les provinces wallonnes l'opposition était plus virulente encore.
Le roi ne pouvait s'appuyer que sur certains bourgeois francophones qui tiraient de l'unification un profit économique (on les appela plus tard les orangistes) et une poignée d'intellectuels sud-néerlandais qui se sentaient une parenté culturelle avec le Nord. Mais ces appuis étaient bien faibles en regard d'une méfiance générale qui ne désarmait pas.
Par la suite l'opposition s'accentua : les facteurs religieux et politico-linguistiques n'y jouèrent pas un moindre rôle. Le clergé catholique s'insurgeait contre les mesures prises par le souverain en matière scolaire, contre l'immixtion du pouvoir dans les affaires religieuses, contre sa prétention à construire et à contrôler les écoles. Quand le roi Guillaume, dans le but de barrer la route à la francisation de la région néerlandophone et de Bruxelles, y décréta le néerlandais seule langue officielle, avec dans le lointain avenir l'espoir de néerlandiser également la Wallonie, la bourgeoisie francophone se cabra.
Si, au début, les décrets restèrent promulgués en français

pour l'administration, la justice et l'enseignement, dès 1819 la néerlandisation s'installa systématiquement et, à partir du 1er janvier 1823, l'usage du seul néerlandais fut déclaré légal dans les affaires publiques, dans les arrondissements flamands ainsi qu'à Bruxelles. Le français était banni de l'enseignement primaire et secondaire en faveur de la langue maternelle de l'enfant. Dès 1825 le gouvernement s'efforça d'imposer le néerlandais comme seconde langue dans les écoles primaires des régions wallonne et allemande.
Cette politique de contrainte linguistique provoqua de vives réactions. On vit la population catholique du Sud néerlandophone, excitée par le clergé romain contre le roi, 'hérétique protestant', prendre fait et cause pour une liberté linguistique dont elle était incapable d'entrevoir les conséquences néfastes pour sa propre autonomie. La bourgeoisie libérale francophone, qui pourtant avait soutenu le roi par intérêt économique, rejeta également la contrainte linguistique.
L'alliance des mécontents, catholiques conservateurs et francophones libéraux, scellée par deux pétitions, força le roi à revoir sa politique.
Un arrêté royal du 28 août 1829 autorisa à nouveau l'emploi de la langue française en certaines matières administratives et juridiques. Un deuxième arrêté (4 juin 1830) rétablit une totale liberté linguistique, de sorte que l'unilinguisme de l'élite francophone allait, délibérément ou non, exercer sa pression francisante sur les petites gens du Sud néerlandophone.
Quelques mois plus tard, l'Etat Belge n'aurait plus qu'à entériner cette liberté linguistique…
La capitulation du roi vint néanmoins trop tard. La situation économique avait évolué et la bourgeoisie, s'étant enrichie, acquérait avec le pouvoir financier une plus grande assurance. Aussi souhaitait-elle une plus large liberté d'action vis-à-vis du souverain et du gouvernement. L'ancienne

génération, sans doute, aurait pu se contenter d'une séparation administrative, d'un système fédéral entre le Nord et le Sud. Les jeunes cependant, plus radicaux, voyaient les choses autrement; ils s'insurgeaient contre l'immixtion du souverain dans les affaires, contre la Hollande en général et contre l'unification même.

Si l'idée 'belge' n'était pas mûre encore en 1815, elle avait pris corps depuis. C'est surtout dans les provinces wallonnes que les éléments jeunes de la bourgeoisie rêvaient de se détacher complètement de la Hollande. Certains préconisaient un rattachement à la France, d'autres la création d'un état libéral indépendant.

Le peuple quant à lui, mené par un clergé antihollandais, était prêt à soutenir l'action révolutionnaire de la bourgeoisie.

Le choc se produisit l'été de 1830, un peu trop tôt cependant d'après le plan des annexionnistes francophiles.

Le 25 août, lors d'une représentation de la Muette de Portici au Théâtre de la Monnaie à Bruxelles, le public s'échauffa sur l'air bien connu :

> Amour sacré de la patrie,
> Rends-nous l'audace et la fierté !
> A mon pays je dois la vie,
> Il me devra la liberté !

C'était un scénario bien préparé dont on n'avait pourtant pas prévu toutes les conséquences. A la sortie du théâtre, de jeunes manifestants, suivis d'éléments étrangers à la bourgeoisie, s'en allèrent bouter le feu à la résidence officielle du ministre Van Maanen. L'incident patriotique dégénéra en incidents de rue et en scènes de violence.

Les fauteurs de troubles profitèrent du mauvais climat social. Le prix du pain et de la viande venait de monter et le prolétariat bruxellois était prêt à tout pour se libérer de sa

rancœur. Devant la carence de l'autorité débordée par les saccages et les incendies, la bourgeoisie, soucieuse de garantir l'ordre et la sécurité, réagit promptement et instaura une garde civique, parée de la cocarde noir-jaune-rouge de la révolution brabançonne.
A Liège, les meneurs de la faction antihollandaise comprirent que le moment décisif de la révolte avait sonné. Les plus dynamiques d'entre eux, parmi lesquels le brillant Charles Rogier, se mirent en marche vers Bruxelles pour y prendre la tête de la révolution. Entre-temps les incidents de la Muette de Portici avaient dégénéré en crise grave. Le roi Guillaume ne réussit, ni à calmer les esprits, ni à contrôler les événements. Il crut habile de tergiverser. Et ce fut un incessant échange de courrier entre La Haye et Bruxelles. Entre délégations civiques belges et gouvernants hollandais, des solutions de compromis furent examinées en d'interminables palabres. Les plus âgés des représentants des provinces méridionales optèrent pour une formule qui n'instaurait pas une sécession totale. Mais la situation était instable et évoluait vite. Un moment même, il parut que les temporisations du roi calmeraient les esprits. En effet, les révolutionnaires étaient divisés : fermes à Liège et à Bruxelles, ailleurs craignant les réformes extrémistes. Le roi Guillaume crut, mais un peu tard, encore pouvoir rétablir la situation et il envoya des troupes à Bruxelles pour restaurer l'autorité de l'Etat, quitte à refaçonner ensuite celui-ci sur un modèle fédéraliste. Mais ses calculs furent déjoués.
Le 23 septembre, dans les rues de Bruxelles, les troupes hollandaises se heurtèrent à des barricades défendues par des paysans, des ouvriers, de petits artisans auxquels s'étaient joints un millier de Wallons et une poignée de Français, vétérans de l'Empire. La bourgeoisie, calfeutrée chez elle, attendait que le prolétariat lui apporte le fruit de sa victoire. Les combats firent rage et, le soir même, les troupes royales battirent en retraite. Ce fut pour la bourgeoisie le

signal de l'insurrection générale. Le 4 octobre, l'indépendance de la Belgique fut proclamée par un gouvernement provisoire de 'patriotes'. Le 16 octobre, La Haye qui avait reconnu l'existence d'une nation belge indépendante, tenta, mais en vain, de lui imposer comme souverain le prince d'Orange.
L'indépendance de la Belgique fut entérinée le 18 novembre à Bruxelles, par le Congrès National qui avait été élu quinze jours plus tôt.

La faillite de l'unification ne causa que peu de regrets, et seulement parmi une poignée de citoyens du Sud et quelques rares intellectuels et hommes politiques éclairés d'Outre-Moerdijk. En ces quinze années de vie commune, le Nord n'avait pu retrouver la route du Sud, qui n'était pour lui qu'un territoire conquis, annexé et un concurrent dangereux. A part quelques savants voués à l'enseignement dans les universités et les écoles des provinces méridionales, les Hollandais n'avaient marqué à leurs frères du Sud que froideur et indifférence. Quant aux fonctionnaires hollandais en poste dans le Sud, ils ne s'y considéraient guère que comme des exilés.
Ces réactions étaient assez compréhensibles. Le dégoût du 'Hollandais' s'était affermi. Les provinces wallonnes surtout abhorraient la politique linguistique du roi. La société néerlandaise ne plaisait pas davantage à la noblesse et la bourgeoisie francophones. De son côté, le clergé romain haïssait 'l'ennemi héréditaire' protestant qui accaparait l'éducation de la jeunesse. Les seuls alliés de Guillaume Ier dans nos provinces, furent les milieux industriels et commerçants, qui intégrèrent avantageusement leur activité dans le cadre économique et dans le marché d'exportation bien organisés du Nord. Parmi ses partisans, il faut compter encore quelques enseignants et de petits fonctionnaires qui, en dignes émules de Verlooy, avaient foi en la valeur du néer-

landais et voulaient regagner à sa cause les provinces du sud, grâce à cette unification politique.

Quel allait être le comportement de ces différents groupes dans la nouvelle Belgique ?

chapitre deux

dernière menace (1830-1870)

L'Etat belge est une création de la bourgeoisie; s'il a pu prospérer, c'est grâce à l'appui des Anglais qui, à l'encontre des autres nations européennes, croyaient en ses chances d'avenir. Dans le nouvel état la majorité de la population appartenait au groupe de langue néerlandaise, mais ne disposait comme tel d'aucun pouvoir politique. Il ne pouvait en être autrement. La Belgique n'était pas une démocratie. Le peuple n'avait pas droit au chapitre pour le choix de ses dirigeants. Seules les couches très aisées de la population disposaient du droit de vote à la Chambre et au Sénat. Une petite élite contrôlait les rouages de l'Etat. Elle seule dirigeait la vie sociale, l'activité économique et les institutions. Elle parlait français.

Le peuple, comme toujours, subissait cet état de fait. Il était en sa grande majorité illettré. L'enseignement primaire, seul prodigué dans la langue du peuple, était d'un niveau déplorablement bas. Le français, imposé à l'enseignement secondaire, contribua à creuser le fossé séparant la bourgeoisie des classes inférieures...

L'état nouveau-né fut tenu sur les fonts baptismaux par une coalition de grands propriétaires terriens catholiques et d'industriels libéraux, parfois même libres penseurs. Ces deux groupes étaient issus de l'opposition à la politique de Guillaume Ier. Les catholiques, fidèles aux vieux principes particularistes des statistes, défenseurs résolus de l'Eglise catholique et de l'enseignement libre, avaient conclu une trêve avec les libéraux qui consentaient au clergé le droit d'ériger des écoles. Les discordes au sujet des rapports entre l'Eglise et l'Etat n'en demeuraient pas moins vivaces, mais furent reléguées à l'arrière-plan à cause de problèmes plus préoccupants, notamment le scepticisme des grandes puissances vis-à-vis de l'expérience Belgique et l'hostilité de la Hollande.

Un problème non moins ardu était celui de la structure définitive de l'Etat. Il y avait d'une part les jeunes révolutionnaires, partisans convaincus des idées nouvelles. Quant aux orangistes et annexionnistes francophiles, ils furent rapidement isolés et réduits à l'impuissance. Les nouveaux leaders étaient des gens réalistes et pragmatiques. Un compromis fut conclu entre les catholiques conservateurs, attachés au maintien de la monarchie, et les libéraux républicains. C'est ainsi qu'ils élaborèrent une constitution qui fit de la Belgique une république présidée par un roi.

Au Parlement (élu par 46.000 notables sur une population de 3,5 millions d'habitants), l'influence des électeurs en provenance des provinces wallonnes était particulièrement grande. Dans le royaume qui comptait 2,3 millions de néerlandophones contre 1,2 million de francophones, ces derniers imposaient leurs vues. Il ne se trouva pas un député 'flamand' pour en prendre ombrage, puisqu'il n'y avait que... des Belges. Un discours important était-il prononcé, ce l'était en langue française. Personne ne s'avisait qu'une autre langue pouvait être employée.

Liberté, c'était le leitmotiv de la nouvelle constitution. Notion chère depuis toujours en nos contrées éprises d'indépendance. Mais on n'hésita pas à la fouler aux pieds, au détriment de la population néerlandophone, quand s'imposa le choix d'une langue officielle.

Un décret du 27 décembre 1830 stipulait que les décisions du parlement et du gouvernement seraient publiées dans

un Bulletin Officiel. En français exclusivement. Une traduction était prévue pour les communes de langue 'flamande' et allemande. Les tout premiers textes du Bulletin, rédigés exclusivement en français, avaient seuls valeur juridique. On pria les gouverneurs de province d'en assurer une traduction à l'usage de leurs administrés. Tel était l'usage aussi au temps de l'occupation française. Le danger subsistait donc de voir en chaque province le dialecte local élevé au rang de langue véhiculaire, accentuant par là l'éparpillement linguistique. C'est contre pareil danger que s'élevèrent au Congrès trois délégués flamands et un délégué luxembourgeois. Ils obtinrent que l'autorité centrale se charge dorénavant d'une traduction uniforme, ce qui ne réglait pas pour autant le problème de l'emploi des langues en général. L'article 23 de la Constitution devait y pourvoir en stipulant que „l'emploi des langues parlées en Belgique est libre, il ne peut être réglé que par la loi et uniquement en matière administrative et juridique".
Cet article de la Constitution répondait aux vœux de la bourgeoisie francophone qu'on laissait libre de parler, où et quand elle le désirait, la langue qui avait ses préférences. Au contact du bourgeois unilingue, le Flamand de condition inférieure n'avait d'autre choix que de se rallier au français. Ainsi furent jetées les bases de la contrainte linguistico-sociale issue de l'ancienne barrière des langues. Pendant cent ans une phrase célèbre de Lacordaire ne s'appliquera que trop bien à la situation de ces couches défavorisées : „Entre le faible et le fort, entre le pauvre et le riche, c'est la liberté qui opprime et la loi qui affranchit".
L'adage allait devenir un des arguments-clefs du Mouvement flamand.
Au début, l'hégémonie du français ne fut pas contestée. Le petit groupe de citoyens qui avait sympathisé avec le roi Guillaume, se tint coi. Son porte-parole le plus connu, le fonctionnaire Jean-François Willems, qui avait des amis

Outre-Moerdijk, et s'était montré un partisan résolu de l'unification des Pays-Bas, se sentait compromis et craignait les foudres de Bruxelles. Quelques années s'écoulèrent. Alors, timide à ses débuts, un mouvement de rapprochement entre la Belgique nouvelle et les intellectuels flamands naquit.

Le gouvernement lui-même fit les premiers pas. On avait compris en haut lieu, et principalement dans l'entourage du roi Léopold, la valeur patriotique de la culture néerlandaise ou 'flamande' comme on la nommera dorénavant durant plusieurs décennies. C'était par là que la Belgique pouvait se différencier de la France. Très conscients du fait que Paris n'avait pas perdu tout espoir d'annexion, les dirigeants belges s'efforçaient d'accentuer nos particularismes en face du dangereux voisin. On n'alla pas pourtant jusqu'à remanier les structures de l'Etat sur une mode bilingue. On resta fidèle au principe : un pays, une langue. La bourgeoisie elle aussi se montra favorable à l'épanouissement d'une vie littéraire en Flandre (ainsi appellerait-on désormais les provinces néerlandophones). Des poètes chantant les louanges de la Belgique en langue 'flamande' ne pouvaient nuire à personne. Aussi stimula-t-on cette activité en organisant des concours officiels.

Dans le cadre de cette politique, l'Etat contacta J.F. Willems. Dépité par la passivité hollandaise, poussé par le souci de sa carrière professionnelle et du bien-être des siens, Willems accepta de poursuivre son œuvre culturelle au service de l'Etat belge et des sphères dirigeantes. Devenu le grand promoteur de la renaissance culturelle flamande, on allait l'appeler le père du Mouvement flamand. Ce réveil, autrement dit la renaissance de la culture néerlandaise dans le Sud, fut avant tout l'œuvre d'intellectuels fort modestes, et resta cantonnée à deux centres urbains. A Gand, J.F. Willems groupa autour de lui quelques dignes savants, tels que F.A. Snellaert, Ph. Blommaert, C.P. Serrure, Pr. Van

Duyse, des hommes amoureux de leur langue et qui s'adonnaient à la philologie à la mode romantique. Formés à l'école hollandaise, ils restaient profondément attachés au roi Guillaume; bref, c'étaient de parfaits pannéerlandais. A Anvers, par contre, un groupe plus bigarré d'hommes de lettres et d'artistes-peintres évoluait autour d'Henri Conscience, J.A. De Laet et Théodore Van Rijswijck.
Ce fut le premier contingent de défenseurs de la cause flamande par amour de la langue. La plupart d'entre eux étaient des libéraux, mais non des anticléricaux intolérants. Ils s'acquittaient de la messe dominicale, tout en rejetant le 'jésuitisme' appelé plus tard ultramontanisme. Alors que le groupe gantois affichait des sympathies pronéerlandaises, le groupe anversois, lui, restait attaché au flamand de Belgique. A ces deux premiers groupes il faut en ajouter un autre, catholique celui-là, loyal envers la Belgique et fidèle à la devise : langue, religion, patrie. Les figures de proue en étaient les prêtres J.B. David et L. De Foere.
Aucun d'entre eux ne rêvait d'une Flandre indépendante. Acceptant le fait belge, ils souhaitaient seulement que le nouvel état ne soit pas exclusivement francophone ou francisant. Mais l'establishment belge ne l'entendait pas de cette oreille; le 'flamand' était une langue de poètes et de philologues et non pas une langue administrative.
Un point de vue qui, bien vite, allait aigrir et durcir poètes et philologues.

Sons nouveaux

Tandis que les savants renouaient avec les vieilles traditions de l'exégèse littéraire et se mettaient à l'étude des manuscrits du Moyen Age et que Willems préparait son édition du 'Reinaert', les premiers pamphlets politiques parurent.
Ce fut Ph. Blommaert qui en prit l'initiative en publiant, en 1832, ses *Remarques sur la déconsidération du néerlan-*

dais. Ce pamphlet eut une grande importance. C'était le premier depuis 1788, année où Verlooy avait fait paraître sa dissertation sur le même sujet. Blommaert, un membre de l'aristocratie, tout en se défendant de vouloir imposer sa langue aux francophones, prônait la reconnaissance du néerlandais, du moins dans les provinces flamandes, et émettait le souhait que les décisions du Parlement soient publiées dans les deux langues.

Selon lui, il convenait d'employer le néerlandais en matière de justice et d'administration provinciale, parce que la position prééminente du français entravait l'épanouissement culturel des classes inférieures de la population. Là où le français avait été imposé par l'occupant étranger, le peuple avait à réapprendre la langue de ses aïeux.

Le pamphlet se référait explicitement à celui de Verlooy. Passant sous silence les sympathies néerlandaises de l'auteur, il insistait sur une valeur nouvelle qui devait prendre de plus en plus d'importance dans les années ultérieures, celle d'une nationalité se fondant sur une langue et des coutumes autochtones.

Blommaert posait ainsi les premiers jalons du Mouvement flamand. Si, par son style prudent, il veillait à ne pas effaroucher les gouvernements francophones, il apportait pourtant un son de cloche nouveau, deux ans à peine après la Révolution belge.

D'autres écrits polémiques, en faveur de la reconnaissance de la langue du peuple, suivirent au fil des années. En 1838, Henri Conscience fit paraître son *Lion de Flandre*. Ce roman historique devait connaître un énorme retentissement; il contribua à vaincre l'analphabétisme et à imposer au peuple, et ce pour la première fois, une conscience flamande.

Aussi Blommaert et Serrure profitèrent-ils de ce climat favorable pour rédiger une pétition. Ce procédé avait connu d'heureux effets dans la lutte contre le roi Guillaume.

C'était une forme de contestation qui, le plus souvent, ne laissait pas les autorités indifférentes. Les promoteurs se demandaient bien pourquoi, cette fois encore, il n'en irait pas de même.

La pétition exigeait le vote d'une loi imposant :

— l'usage du néerlandais en Flandre pour tout ce qui concerne les affaires locales et provinciales;

— l'usage du néerlandais aux fonctionnaires de l'Etat dans leurs rapports avec les citoyens et les administrations communales;

— l'emploi du néerlandais au tribunal lorsque les parties ou l'accusé usent de cette langue;

— la création d'une Académie flamande ou d'une section flamande de l'Académie de Bruxelles, pour promouvoir la littérature en néerlandais;

— la reconnaissance des mêmes droits au néerlandais et au français à l'université de l'Etat de Gand et dans les écoles officielles en Flandre.

Plusieurs milliers de personnes signèrent la pétition. La presse francophone réagit avec violence et le professeur G. Nypels, de l'université de Liège, eut ces paroles prophétiques : „C'est une lutte qui commence. Dieu sait où cela conduira".

C'est à cette occasion que la presse baptisa l'action protestataire : le Mouvement flamand.

Durant cette période, les Flamands marquèrent encore un point. Le gouvernement désirait trancher la question de l'orthographe néerlandaise. Fallait-il adopter une orthographe flamande ou sud-néerlandaise, ou reprendre l'orthographe en usage aux Pays-Bas ? Cette question suscita une violente 'guerre de l'orthographe' (1836-1844). Willems et David se firent les défenseurs passionnés d'une orthographe unique pour l'ensemble du territoire néerlandophone, théorie attaquée principalement, et avec autant de passion, par les particularistes (surtout west-flamands). Conduits par le

prêtre De Foere, ceux-ci ne voyaient dans le 'hollandais' qu'une porte ouverte au protestantisme et un moyen d'étouffer les caractéristiques propres au Sud. David et Willems finirent par l'emporter et la guerre prit fin. Décision de la plus haute importance pour l'avenir.
Entre-temps, les petites gens de Flandre, toujours opprimés, étaient restés aux prises avec une bourgeoisie égoïste, francophone et uniquement attachée à ses intérêts économiques. De plus en plus de divergences idéologiques allaient dominer les événements politiques, rompant ainsi la trêve et l'unionisme de 1830. Libéraux et catholiques allaient s'affronter violemment et diviser les Flamands. Lorsqu'en 1844, J.A. De Laet, en collaboration avec H. Conscience, entreprit de publier un journal intitulé *Vlaemsch België,* cette tentative échoua en premier lieu pour cause de difficultés financières, vu le nombre restreint des lecteurs, et ensuite à cause de la neutralité que garda le journal dans la lutte violente qui envenimait les relations politiques. *Vlaemsch België* ne fut pas en mesure de trouver un quelconque commanditaire. Le journal *De Vlaemsche Belgen,* porte-parole du catholicisme traditionnel, prit la relève. Sept mois plus tard, lui aussi devait cesser de paraître. De Laet avait tenu le coup durant onze mois...
Le Mouvement flamand prit alors une tournure nouvelle. Les promoteurs ne s'étaient jamais bornés au rôle de philologue ou d'académicien étrangers aux problèmes de ce monde. La langue n'était pas un but en soi, mais un moyen d'éducation et d'émancipation populaire. Même calfeutrés dans le confort de leur milieu bourgeois, à l'abri de la misère qui accablait les humbles, ils n'avaient jamais complètement perdu de vue le sens profond et les droits de la communauté populaire. Cependant, au milieu du siècle, leurs préoccupations sociales allaient prendre un caractère plus concret, sous l'influence de Flamands notoires qui, tel Jakob Kats, animèrent de bon droit à cette époque une agi-

tation sociale croissante. Durant les années dites de malheur (1845-1848), une violente crise économique, provoquée par la régression de l'industrie textile, décima la Flandre Orientale et Occidentale. S'ajoutaient à cela des hivers trop rudes, des moissons détruites, le chômage, des épidémies de typhus et de choléra; le coût de la vie ne cessait d'augmenter et frappait durement les petites gens de Flandre, complètement désarmés. Dans grand nombre de communes, le pourcentage des décès était quatre fois supérieur au pourcentage des naissances.

Si le gouvernement n'était pas insensible à tant de misère, les remèdes préconisés étaient de type libéral et capitaliste. Les mesures prises par les autorités étaient insuffisantes; la charité seule prétendit faire échec au paupérisme. Le 4 décembre 1847, le ministre Rogier déclarait devant les Chambres que l'émigration de chômeurs flamands vers les industries de Wallonie pourrait apporter une solution au problème. Conscient de la barrière que serait pour eux la langue régionale, il préconisa un enseignement accru du français dans les écoles primaires; ainsi les ouvriers flamands pourraient-ils aller travailler en terre wallonne et leurs compagnes y trouver un emploi de servante dans les familles ...

Rogier, en cela, était l'interprète de la mentalité bourgeoise. Dans les couches populaires l'amertume fut grande, mais aucune action concertée ne fut entreprise pour améliorer le sort des travailleurs. C'est par dizaines de milliers que les Flamands émigrèrent vers les provinces méridionales pour y gagner une maigre pitance, dans les villages, les usines et les mines, et... pour s'y faire walloniser.

La commission des griefs

Un quart de siècle après la fondation de l'Etat belge, une élite intellectuelle s'était développée en Flandre; une élite qui ne s'en tenait plus à des revendications timorées. Willems était décédé en 1846 et la génération des 'philologues' était en voie de disparition. Les flamingants — ce sera désormais le nom qu'on appliquera aux promoteurs du réveil flamand — allaient à présent développer leur action sur le plan légal. Il jugeaient que, tous les Belges étant égaux devant la loi, les mesures de discrimination appliquées aux Flamands étaient anticonstitutionnelles. L'essentiel, n'était-ce pas la stricte observance des règles fondamentales de la Constitution, principalement dans le chef de l'Etat et de l'administration ? Mais pour y parvenir, des mesures devaient être prises, des lois linguistiques devaient être votées pour pallier les innombrables lacunes. Pour commencer, tous les hommes de lettres flamands d'une certaine renommée sabotèrent le concours officiel de poésie qui avait été organisé en 1855, en l'honneur des 'journées glorieuses de septembre 1830'. Peu de temps après, un nouveau tournoi poétique eut lieu, commémorant le 25e anniversaire de la prestation de serment de Léopold Ier. Cette fois des poètes flamands y participèrent, mais en se faisant les interprètes du peuple et les porte-parole des revendications linguistiques flamandes.

L'augmentation croissante du nombre de flamingants mécontents rendit sensible au gouvernement l'effervescence des provinces flamandes. En 1856, il créa donc une commission chargée d'enquêter sur les griefs des Flamands. L'initiative émana du ministre P. De Decker qui, sans être flamingant, avait cependant défendu la pétition de 1840. Au sein de la Commission siégèrent entre autres Conscience, David, Snellaert et un Wallon, ami de la Flandre, L. Jottard, qui en assuma la présidence.

En octobre 1857, après seize séances, la Commission déposa un rapport substantiel qui fut publié en 1859. Dans ses préliminaires, ce rapport situait le problème linguistique belge dans un cadre européen et définissait la langue comme

le 'patrimoine le plus précieux d'un peuple'. La Commission avait pour tâche de proposer des mesures aussi bien en ce qui concerne la promotion de la littérature qu'en matière d'emploi des langues dans l'administration mais, toujours dans l'esprit de la pétition de 1840, elle négligea le premier point au profit des exigences politiques.
Dans une liste impressionnante de projets de réformes, la Commission insistait pour que soit imposé l'usage du néerlandais dans l'enseignement ainsi que dans les services centraux de l'Etat.
Ce rapport recommandait l'unilinguisme néerlandais dans les écoles primaires, ainsi que dans les deux premières années de l'enseignement moyen; l'installation de chaires de langue et de littérature néerlandaises dans les universités de l'Etat; la réorganisation de l'administration centrale de l'Etat dans un cadre bilingue; la scission de l'Académie royale en sections française et néerlandaise; l'édition néerlandaise du Moniteur; le bilinguisme des communications du ministère des finances et des P.T.T.; l'usage en justice du néerlandais à la demande du justiciable; la division de l'armée en régiments flamands casernés en Wallonie, et en régiments wallons casernés en Flandre; la néerlandisation de la garde civique et de la marine; le bilinguisme des diplomates, etc...
Cependant les propositions portant sur la néerlandisation de l'ensemble de l'enseignement moyen et l'obligation du bilinguisme pour tous les fonctionnaires des bureaux centraux de l'Etat furent rejetées par la majorité de la Commission. Aucune solution n'ayant été envisagée pour l'enseignement moyen, il ne put être question de néerlandiser l'enseignement supérieur. Rien non plus ne fut prévu pour l'enseignement catholique, 'libre' par définition.
Durant les vingts années qui suivirent, ce rapport de la Commission des griefs, qui n'avait rien de révolutionnaire, fit couler beaucoup d'encre. Rédigé par des hommes pon-

dérés et influents qui avaient pris à cœur de peser toutes les difficultés, il ne contenait que des propositions aussi limitées que modérées. Alors que, pour la Flandre, la Commission préconisait un régime où le néerlandais serait reconnu légalement au même titre que le français, aucun bilinguisme ne fut envisagé pour la Wallonie. Cependant le ministère Rogier refusa d'acter les propositions et laissa à la Commission elle-même le soin de publier le rapport. Immédiatement après, le gouvernement fit d'ailleurs paraître un contre-rapport qui jugeait dangereuse pour l'unité du pays la reconnaissance des deux langues.

Agitation croissante

Plus d'une fois le mauvais vouloir des gouvernants excéda la Flandre; les conditions de vie et de travail fort pénibles pour le peuple d'une part, l'arrogance de la bourgeoisie francophone d'autre part, entretenaient un climat de malaise permanent où les revendications sociales rejoignaient les revendications linguistiques. Les forces de la contestation devaient bientôt se convaincre que, sans l'appui d'un pouvoir organisé, leur action était vouée à l'échec. Tandis que les premiers socialistes jetaient les bases du futur parti ouvrier et des syndicats, les flamingants envisageaient d'abord la création d'une formation politique indépendante des partis catholique et libéral et de leurs stériles querelles. Quelques tentatives timides en ce sens ayant échoué, il fut décidé d'œuvrer au sein même des partis existants et d'y introduire des candidats sûrs. Dans ce but on fonda à Bruxelles, en 1861, un 'Vlaemsch Verbond' et, à Anvers, un 'Nederduytsche Bond' qui s'évertuèrent à faire élire leurs candidats dans les arrondissements flamands. Grâce à leur ténacité, des militants flamingants firent leur entrée rue de la Loi : Lodewijk Gerrits, Jan De Laet qui fut le premier député à prêter serment en néerlandais (en 1863) et Edward

Cooremans qui, en 1888, prononça le premier discours en cette langue à la Chambre.
A l'entente des Flamands s'opposait la haine farouche que se vouaient à l'époque catholiques et libres penseurs. A Anvers pourtant, le 'Meeting-partij', créé à l'origine pour s'opposer au militarisme de Léopold II, mais devenu rapidement une formation démocratique flamingante, tenta d'apaiser les dissentions. Au début, ce parti remporta quelques succès (entre autres la néerlandisation de l'administration communale d'Anvers), mais, handicapé par ses particularismes, ayant renoncé à ses tendances 'pluralistes', il se fit absorber par le parti catholique.
Les rivalités idéologiques furent longues à se dissiper. Julius Vuylsteke dont l'influence sur le libéralisme flamand allait être grande de 1860 à 1875, se signala par ses prises de position violemment anticléricales flétrissant 'l'hégémonie du curé'. Un autre personnage, particulièrement fascinant dans le monde libre penseur, était le jeune tribun populaire Emile Moyson. Pionnier du socialisme en Flandre, flamingant militant, il était l'idole des ouvriers gantois. S'il n'avait trouvé la mort en 1868, à l'âge de 30 ans, la lutte pour l'émancipation flamande ne se serait probablement jamais dissociée de la lutte pour l'émancipation sociale.
Si l'agitation fut violente du côté des flamingants agnostiques, elle ne le fut pas moins du côté des catholiques flamingants. Un prêtre, professeur à Roulers, de 1857 à 1859, Guido Gezelle, imprima au mouvement un premier élan fondamental en se rebellant contre les défauts de l'enseignement francophone traditionnel. S'il tenait à s'affirmer Flamand, ennemi des conformismes, Gezelle n'avait rien d'un penseur politique. Il ne s'en prit jamais que timidement à l'Etat belge; il n'avait pas l'esprit néerlandais pour autant et se déclara même farouchement antihollandais. N'empêche qu'il sut donner à la langue néerlandaise, dans le Sud, les lettres de noblesse qu'elle attendait depuis si long-

temps. Son élève, Hugo Verriest, prêtre lui aussi, poursuivit son action. D'une distinction plus sophistiquée que son maître, il était aussi plus sensible à la culture du Nord. Remarquable animateur politique, il transmit à son tour le flambeau à Albrecht Rodenbach...
Le flamingantisme parlementaire durcissait entre-temps ses positions. L'indignation provoquée dans l'opinion publique par une série de scandales raffermit les succès électoraux des flamingants. Parmi ces scandales, citons l'affaire Karsman (1863), un éditeur empêché de se faire défendre en néerlandais devant la Cour d'Appel de Bruxelles, l'affaire Coucke et Goethals (1865), deux ouvriers flamands exécutés en Wallonie, à qui leur ignorance du français — du moins on en eut l'impression — valut la condamnation à mort.

Désormais les députés flamands allaient dénoncer régulièrement au Parlement les discriminations dont leur peuple était victime. Mais, pendant quelque temps encore, le gouvernement libéral s'opposa à toute modification de la législation en vigueur.
La menace de francisation qui, durant des siècles, avait pesé sur les Pays-Bas du Sud avait, aux alentours de 1870, pu être endiguée. On allait pouvoir graduellement en effacer les traces. A côté de la bourgeoisie francophone et asociale qui continuait à exercer son contrôle sur l'Etat, une nouvelle élite flamande avait vu le jour, composée d'intellectuels, de fonctionnaires et d'indépendants. Cette élite, plus proche du peuple, allait s'attacher toujours davantage aux aspects sociaux de la lutte pour l'émancipation.

chapitre trois

la percée (1870-1914)

L'année 1870 se caractérisa par un revirement très important. Le corps électoral élimina le cabinet libéral, composé principalement de ministres antiflamands qui avaient gouverné le pays depuis 1857. Le nouveau gouvernement catholique s'appuyait sur un parti qui était surtout puissant dans les provinces flamandes; aussi se montra-t-il plus ouvert aux flamingants. Ceux-ci, de leur côté, se sentirent forts devant la perte de prestige que subissait la France, vaincue par les Allemands; ils étaient sensibles par ailleurs à la victoire d'une Allemagne qui, depuis un temps déjà, semblait s'intéresser à la montée de la communauté flamande et lui témoigner de la sympathie.

A partir de 1872, les débats parlementaires qui allaient mener à l'approbation des premières lois linguistiques, furent marqués par une série d'incidents à propos notamment de la proposition de loi d'E. Cooremans, député catholique d'Anvers, obligeant les magistrats et les officiers de justice, en Flandre et à Bruxelles, d'employer en matière pénale la langue néerlandaise pour toutes les affaires où il n'était pas établi que l'accusé possédait suffisamment la langue française. Cette proposition de loi avait peu de chance d'être acceptée, lorsqu'un nouveau scandale vint exciter l'opinion publique, suite à la condamnation d'un ouvrier flamand, Joseph Schoup, qui avait refusé de faire acter en français la naissance de son enfant dans les registres de

l'état civil à Molenbeek-lez-Bruxelles. Lorsqu'il alla en appel, la Cour de Cassation décréta qu'un juge pouvait interdire aux avocats de plaider en néerlandais.
L'indignation fut grande dans l'opinion publique flamande. Le Parlement comprit qu'il fallait faire quelque chose afin de calmer les esprits; après des débats fastidieux qui mutilaient gravement le texte original, la loi Cooremans fut approuvée. Ce fut la brèche qui allait faire passer d'autres lois linguistiques en matière d'administration publique (en 1878) et d'enseignement supérieur de l'Etat (en 1883).
Ces premiers textes n'étaient en rien comparables aux lois linguistiques du vingtième siècle. Ils n'envisageaient nullement une Flandre néerlandophone où il n'y aurait plus place pour un autre régime linguistique. Ils ne prévoyaient aucune priorité pour le néerlandais dans les provinces flamandes. Leur seul résultat fut la place, bien modeste encore, accordée au néerlandais à côté du français.
Ces premières lois linguistiques ne furent pas votées par une majorité flamingante qui, au Parlement, se serait substituée à une majorité francophone, mais bien par cette dernière qui craignait l'agitation dans le pays et voulait prévenir tout désordre ultérieur.
Les francophones avaient d'ailleurs préparé leur porte de sortie. Ils savaient que les lois ne seraient pas appliquées ou qu'elles le seraient d'une façon caduque. En effet, toute la machine de l'Etat resta française : le gouvernement, les Chambres, l'administration, la Cour, le haut clergé, l'armée, l'enseignement, la justice. En Flandre, les classes dirigeantes restaient orientées sur la langue et la culture françaises. Elles ne lisaient que des journaux français; au théâtre elles n'assistaient qu'à des spectacles en français tandis qu'elles envoyaient leurs enfants dans des écoles françaises. Les bourgeois exerçaient toujours un pouvoir de fascination énorme sur les petites gens qui levaient les yeux avec déférence sur 'la race des maîtres', tout en rêvant de pouvoir

éduquer leurs propres enfants en français et de pouvoir donner leur fille à marier à un garçon francophone. L'ouvrier, emprisonné dans son existence de prolétaire, se sentait prisonnier de son dialecte grossier dont il avait honte. Quant au petit bourgeois — dont les connaissances en néerlandais étaient tout aussi médiocres — il n'hésita pas longtemps et adopta le français. Quiconque voulait gravir les échelons supérieurs de l'échelle sociale devait renier sa langue maternelle, ne daignant plus parler flamand qu'avec la bonne.

Il est évident que, dans pareille atmosphère, les lois linguistiques apparaissaient, aux yeux des classes dirigeantes, comme des textes gênants et dépourvus de tout bon sens, des textes qui ne pouvaient semer que la discorde et freiner l'évolution 'normale'. Ce ne fut pas sans une belle dose de courage que les intellectuels flamands qui, pour la plupart, parlaient couramment français, exigèrent le vote des lois et leur stricte application. D'où leur réputation de trouble-fête et de fanatiques.

Ce fut un dur combat dans une Flandre peuplée de 80 p.c. de gens ignorant le français, mais où tout se réglait exclusivement en cette langue au niveau supérieur.

Il s'imposait dès lors d'entraîner les classes dirigeantes dans le mouvement de néerlandisation. S'il paraissait impossible de convaincre la génération des pères, la jeunesse, par contre, plus facilement influençable, se montrait disposée à changer de camp.

C'est ainsi qu'en 1875 fut lancée au collège de Roulers, sous l'impulsion d'Albrecht Rodenbach et en réaction contre le snobisme francophile dans l'enseignement catholique, la 'blauwvoeterie'. Issu d'une famille francophone aisée, mais imprégnée de culture germanique (la famille était d'origine rhénane), le leader estudiantin forgea pour son peuple tout un passé légendaire flamand, foisonnant de héros empruntés, soit aux sagas germaniques, soit à l'œuvre de Conscience.

Sa pièce de théâtre, *Gudrun,* et ses poèmes romantiques émurent la jeunesse et nombre de familles flamandes. Ce fut lui encore qui organisa l'opposition contre la pression francisante dans les collèges en essayant de susciter un peu partout la création d'associations groupant écoliers et étudiants. D'abord méfiants, les évêques finirent par s'y opposer publiquement. Rodenbach n'avait que 24 ans lorsqu'il mourut en 1880, mais son appel n'était pas prêt d'être oublié.
Le chant *Vliegt de blauwvoet, storm op zee,* devint le cri de ralliement de plusieurs générations de jeunes catholiques qui, à partir de la 'blauwvoeterie', réaffirmèrent leur foi en la Flandre, une foi qui les guidait leur vie durant. Un puissant souffle d'enthousiasme et de radicalisme, bien éloigné de la prudence avisée des premiers flamingants, allait entraîner toute la Flandre intellectuelle.
Le mouvement estudiantin était en passe de devenir une des forces vives de la lutte d'émancipation des Flamands, non seulement du côté catholique, mais aussi chez les libres penseurs dont les associations ' 't Zal wel gaan' (à Gand) et 'Geen taal geen vrijheid' (à Bruxelles), de même que le cercle 'Met tijd en vlijt' de Louvain, allaient devenir des noyaux d'agitation flamande.
Ce mouvement estudiantin devait mener inéluctablement à la néerlandisation de l'enseignement supérieur qui, à son tour, entraînerait celle des classes dirigeantes et, par voie de conséquence, celle des fonctions supérieures dans la vie administrative et économique.
La lutte pour la néerlandisation de l'université fut le premier point inscrit au programme des revendications flamingantes aux alentours des années 1900.

Vers l'égalité juridique

Le Parlement approuva encore une deuxième série de lois linguistiques, ce qui fut rendu possible par un nouveau déplacement dans les rapports entre partis politiques. En 1884, les catholiques avaient remporté une grande victoire sur les libéraux qui, depuis 1878, étaient revenus au pouvoir. En 1893 une revision de la constitution remplaça l'ancien système censitaire qui n'accordait le droit de vote qu'à la classe aisée; le nouveau système électoral renforça davantage encore le parti catholique.

Les tensions sociales qui mobilisaient toutes les énergies reléguèrent à l'arrière-plan la question scolaire qui avait divisé si longtemps libéraux et catholiques. Les conditions de travail inhumaines dans une industrie en pleine expansion provoquaient, à intervalles réguliers, des explosions de violence dans la classe ouvrière, non sans faire des victimes. Le parti ouvrier belge fut fondé en 1883 (en 1884 le parti catholique naquit de la fusion de plusieurs associations autonomes) et les socialistes entrèrent au Parlement en 1893. Parallèlement à la législation sociale, les lois linguistiques furent complétées, principalement dans le domaine de la procédure judiciaire.

Sensible aux revendications flamandes et aux revendications sociales, un prêtre d'Alost, l'abbé Daens, entreprit la défense des travailleurs vis-à-vis de la bourgeoisie catholique et, en tant que député (de 1894 à 1906), n'hésita pas à voter avec les socialistes. Le 'daensisme', condamné par l'Eglise, n'en influença pas moins la démocratie chrétienne, de même qu'une fraction du nationalisme flamand.

La loi du 18 avril 1898 constitua un jalon d'importance dans la lutte des Flamands pour la reconnaissance et le rétablissement de leurs droits. Cette loi, appelée 'loi d'Egalité', stipulait que dorénavant les textes flamands des lois et arrêtés royaux auraient la même valeur juridique que les textes français. Le débat parlementaire fut âpre. Si, au cours des années précédentes, Wallons et francophones avaient été contraints à maintes concessions, ils n'étaient pas prêts pourtant à reconnaître l'égalité des deux langues.

Dans leur esprit, leur hégémonie était en jeu.
Pour les Flamands il ne pouvait être question de reculer. Céder sur ce terrain, c'était admettre leur infériorité. Jamais la question linguistique n'avait bouleversé à ce point le pays. Le vote acquis, partout en Flandre on pavoisa, car même l'homme de la rue avait compris la portée de cet événement. Si les polémiques de 1830 se paraient du mot Liberté, c'était à présent le mot Egalité qui animait la population flamande. Les campagnes fougueuses des socialistes en faveur du suffrage universel, conférant l'égalité à tous les citoyens, contribuèrent grandement au succès de l'agitation flamande...

La lutte pour l'université de Gand

La voie était ouverte pour ce que certains considéraient en Flandre comme la partie décisive : la néerlandisation de l'université de l'Etat de Gand.
Le Bruxellois Lodewijk De Raet, qui, en 1906, avait publié un 'programme économique du Mouvement flamand', prit la tête de l'opération. Dans son œuvre, les facteurs économiques, démographiques et universitaires étaient étroitement liés aux facteurs politiques et culturels. Il situa l'activité des flamingants dans une perspective où, compte tenu du développement industriel et de la socialisation progressive, l'image classique, libérale, du XIXe siècle se voyait soumise à un processus d'érosion. Pour De Raet, le Mouvement flamand ne pouvait se borner à critiquer ou à améliorer les situations linguistiques existantes, mais il avait à définir la place qui reviendrait au Flamand dans le système politique belge et l'avenir qui lui était promis. Loin de se contenter d'une législation sur l'emploi des langues, souvent foulée aux pieds, il prônait une émancipation intégrale, la conquête d'une puissance intellectuelle et économique qui faciliterait aux Flamands l'accès au pouvoir politique dans le pays. Un premier pas dans ce sens devait

mener à la néerlandisation du milieu scientifique et académique de l'université de l'Etat. Alors que De Raet s'attachait avant tout à l'aspect économique des problèmes flamands, deux autres leaders libres penseurs se préoccupaient davantage de l'aspect social et humain du Mouvement. C'étaient Jules Mac Leod, professeur à l'université de Gand, et le jeune Auguste Vermeylen. Ceux-ci n'avaient pas été contaminés par le fatras sentimental qui, depuis Rodenbach, hantait l'élite catholique; leur vision froidement réaliste eut un effet salutaire. Vermeylen n'était pas un nationaliste comme De Raet qui avait foi en un état-nation; c'était un anarchiste hostile aux concepts abstraits de peuple et d'état. Dans son essai *Critique du Mouvement Flamand,* paru en 1895, il s'attaqua avec véhémence aux générations précédentes de flamingants qui, à son avis, ne s'étaient que trop appesanties sur les problèmes linguistiques et n'avaient témoigné que peu d'intérêt pour les conditions de vie inhumaines des classes populaires. Il élargit encore les horizons du mouvement en persuadant ses concitoyens qu'il fallait 'être Flamand pour devenir Européen'.
Quant aux nouveaux leaders catholiques, Lodewijk Dosfel et Frans Van Cauwelaert, ils n'hésitaient pas à s'associer aux libres penseurs, se retrouvant souvent avec ceux-ci au sein des mêmes groupes de travail. Romantique comme Rodenbach, mais juriste de formation universitaire, Dosfel s'imposa par son intégrité morale autant que par sa compétence scientifique. Il devint plus tard le théoricien du nationalisme flamand. Van Cauwelaert, tête de file des catholiques flamingants à partir de 1901, diplomate éloquent et avisé, se révéla plutôt comme un psychologue et un pédagogue attiré surtout par les problèmes socio-culturels posés par le Mouvement flamand. A son avis, les Flamands, manquant d'élites, ne pouvaient s'imposer à part entière comme communauté culturelle. Il avait en horreur l'idée d'une réforme fédérale de l'Etat et mettait au premier rang de ses

préoccupations les lois linguistiques et leurs incidences culturelles. Des conférences et des articles de revues marquèrent, en 1890, le début de la lutte pour la néerlandisation de l'université de Gand. Suivirent meetings, polémiques de presse, motions et congrès estudiantins. Une Commission Universitaire réunie par deux fois, en 1896 et en 1907, s'efforça de coordonner ces efforts. Y jouèrent un rôle-clef, Mac Leod dans la première, Hippolyte Meert dans la seconde. Ce dernier était le fondateur de l' 'Algemeen Nederlands Verbond', association dont le dynamisme servit grandement la lutte flamande. Chaque commission constitua une sorte d'état-major général du Mouvement flamand. Les dicussions étaient parfois violentes, car les avis divergeaient sur la façon de procéder à la conquête de l'université. Certains préconisaient l'érection d'une nouvelle université néerlandaise à côté de l'université francophone, d'autres une séparation progressive et partielle des facultés et des cours, d'autres enfin souhaitaient une néerlandisation radicale et immédiate.

En 1906, un mandement des autorités ecclésiastiques, les *Instructions,* mit le feu aux poudres. Le cardinal Mercier y déclarait que le néerlandais n'était pas approprié à l'usage universitaire...

Depuis la fondation de l'Etat belge, les évêques s'étaient montrés les plus fermes piliers du régime qu'ils avaient aidé à instaurer contre la Hollande protestante. Jamais ils n'avaient montré la moindre compréhension pour les griefs et les espérances des Flamands; ils avaient laissé subsister un enseignement moyen francophone, cloué au pilori puis liquidé la 'blauwvoeterie' de Rodenbach. L'opposition brutale à la néerlandisation de l'université de Gand était bien dans la ligne de cette politique. Aussi l'indignation fut-elle grande parmi les intellectuels. Elle allait traumatiser maintes générations. Soixante ans plus tard, lors de la question de Louvain, les successeurs du cardinal se virent reprocher

une fois de plus les *Instructions !...*
Aux protestations de centaines d'intellectuels catholiques, le vicaire général, J.E. Van Roey, le futur cardinal, répliqua sèchement que l'Eglise s'opposait à la néerlandisation de l'université de l'Etat dans le seul souci de préserver l'épanouissement de l'université catholique de Louvain. A partir de ce moment les étudiants flamands de Louvain, solidement organisés et soutenus par le périodique *De Student* du Dr. Laporta, allaient s'associer à l'offensive en faveur de la néerlandisation de Gand.
Entre-temps l'affaire était passée au stade des interventions politiques. Trois parlementaires flamands, Frans Van Cauwelaert, le socialiste Camille Huysmans et le libéral Louis Franck — on les appelait les 'trois coqs chantants' — entreprirent en 1910 une série de meetings, plaidoyers en faveur de Gand.
Le leader — francophone — du parti socialiste, Emile Vandervelde, tenta, de son côté, de trouver un compromis. Comme le problème divisait son parti, il proposa de laisser subsister une université francophone à Gand et d'en créer une néerlandaise à Anvers. La proposition fut rejetée par les Flamands qui, en 1911, portèrent la question au Parlement. Solidairement tous les flamingants souscrivirent aux mêmes revendications et l'opinion catholique ne fut pas la moins radicale.
Néanmoins, quand la première guerre mondiale éclata, la question de Gand était toujours pendante.

Questions et revendications nouvelles

D'autres problèmes d'ailleurs s'étaient posés entre-temps. De plus en plus, les flamingants se prirent à douter de l'efficacité des lois linguistiques, souvent foulées aux pieds tandis que les contrevenants restaient impunis. Devant l'insuccès de cette politique, ne fallait-il pas envisager d'autres

solutions et modifier les institutions nationales ?
A l'opposition ancienne entre catholiques et libres penseurs au sein même du Mouvement flamand s'ajoutait maintenant une dissension entre belgicistes et nationalistes. Les premiers continuaient à croire à l'efficacité des lois liguistiques, car pour eux le Mouvement flamand était avant tout un mouvement socio-culturel; les seconds tentaient de résoudre les différends grâce à une réforme de l'Etat; pour eux le Mouvement flamand était surtout un mouvement politique. Peu de temps après l'instauration de l'Etat belge d'ailleurs, on avait envisagé des réformes des structures politiques et administratives. Tandis que certains publicistes optaient pour une décentralisation des services publics, d'autres, bien que timidement, penchaient vers un fédéralisme à la mode suisse ou scandinave. Au début, la discussion fut purement académique. Mais à mesure que, grâce aux parlementaires flamands, les premières lois linguistiques s'imposèrent, les Wallons commencèrent à s'inquiéter et à réagir. On imagina des moyens de défense contre la politique de bilinguisme que les Flamands visaient à introduire en Flandre d'abord pour y briser l'hégémonie du français, et dans le pays entier ensuite. Pour les Wallons il ne pouvait être question de tolérer le néerlandais sur leur territoire, d'autant plus qu'en 1830 ils avaient soutenu la révolution, précisément pour empêcher la néerlandisation de leurs provinces envisagée par le roi de Hollande.
Ils n'étaient nullement prêts à admettre que les Flamands fassent la loi en Belgique; il n'étaient pas prêts non plus à admettre le bilinguisme. Aussi est-ce chez eux, en premier lieu, que prit corps au XIXe siècle l'idée d'une séparation administrative entre la Wallonie qui, à ce moment et grâce à une expansion industrielle dynamique, occupait la première place dans l'Etat, et la Flandre agricole et sous-développée. On consentait à attirer en Wallonie les forces ouvrières flamandes (et à les y walloniser), mais tout le mon-

de se hérissait à l'idée qu'il pouvait être porté atteinte à l'homogénéité de la communauté wallonne et de son territoire. D'abord jugées anodines, les objections des Wallons se firent plus amères à mesure que s'ancrait en eux la conviction qu'à plus ou moins long terme, il deviendrait impossible à un Wallon unilingue d'occuper encore une fonction administrative dans les provinces flamandes. La Flandre, fermée aux carrières officielles, ne serait plus pour les Wallons un terrain d'expansion ! D'où le malaise et le dépaysement que ressentaient les Wallons dans une contrée devenant de plus en plus pointilleuse sur l'emploi de la langue néerlandaise.

En 1912 le leader wallon — et futur homme d'état belge — Jules Destrée déclarait dans une *Lettre au Roi sur la séparation de la Wallonie et de la Flandre :* „Sire, il n'y a plus de Belges". Dans ce manifeste virulant et agressif, Destrée accusait les Flamands d'avoir spolié les Wallons. Farouchement opposé à l'unilinguisme en Flandre, il préconisait sans équivoque la séparation administrative des deux communautés.

D'abord les réactions flamandes à la Lettre furent — aussi bizarre que cela paraisse — calmes et modérées. Hippolyte Meert, Emile Wildiers, Pol De Mont et quelques autres, soutenaient que l'émancipation flamande était possible sans recourir à des solutions extrêmes. Bien vite cependant, l'opinion flamande allait considérer avec un esprit plus compréhensif le principe de la séparation administrative.

Des amendements flamands à un projet de loi sur l'enseignement ayant été rejetés, E. Wildiers se ravisa et écrivit : „Dès à présent nous devons rompre une lance en faveur de la séparation administrative; c'est l'unique solution". Les organisations culturelles flamandes se mirent à étudier le problème. Le 1er mai 1914 parut à Gand un mensuel intitulé *De bestuurlijke scheiding* (La séparation administrative) avec pour rédacteur les jeunes flamingants R.

Kimpe, A. Thiry et M. Minnaert (qui devint plus tard un illustre physicien et astronome).
L'idée faisait son chemin lorsqu'éclata la guerre mondiale. Les gens allaient mourir plus vite, les idées se développer à un rythme plus accéléré; certains Flamands succombèrent à la tentation de réaliser dans des circonstances ingrates ce qui n'était encore qu'un projet à peine mûri. La faillite de l'expérience allait leur coûter cher.

Dès la fin du XIXe siècle se fit jour en Flandre l'idée d'un rapprochement avec le Nord, grâce à la conscience, principalement dans les milieux intellectuels, d'un sentiment de parenté entre les deux 'peuples'. (C'est pour des raisons identiques que, lors de la guerre qui, en Afrique du Sud, opposait les Boers aux Britanniques, les sympathies des Flamands se portèrent sur le président Krueger). Des orateurs hollandais étaient invités régulièrement à des congrès d'étudiants ou d'intellectuels. L'Algemeen Nederlands Verbond, pendant de l'Alliance Française, mena une propagande active auprès de la population en faveur des lois linguistiques, de la loi d'Egalité, de la néerlandisation de Gand, et contribua ainsi au renforcement du sentiment pannéerlandais au sein du Mouvement flamand. On mit l'accent sur un emploi plus correct de la langue, et si l'action en faveur de l' 'algemeen beschaafd Nederlands' souleva des oppositions particularistes auprès de la vieille génération, des noyaux de jeunes furent gagnés à l'idée qu'il fallait uniformiser langue et prononciation au Nord et au Sud.
L'aide escomptée des Pays-Bas dans cette tentative de normalisation des rapports linguistiques fut mince. L'Etat néerlandais ne cherchait pas à s'immiscer dans les difficultés intérieures du voisin avec lequel il entretenait depuis longtemps des relations amicales. Quant au peuple hollandais, il restait indifférent aux problèmes flamands, témoignant à leur égard d'une froide incompréhension. Seuls

quelques cercles universitaires et littéraires portaient de temps à autre quelque intérêt à l'emancipation du Sud.

A mesure que s'accentuait la démocratisation de la vie politique et publique, les représentants de la population catholique, de loin la plus importante dans les provinces flamandes, gagnaient en influence. Celle de l'élite athée avait décliné rapidement durant les dernières décennies précédant la guerre, alors qu'auparavant, et malgré sa faiblesse numérique, elle avait été très profonde dans le Mouvement flamand. Les flamingants libéraux se trouvaient noyés dans un parti qui, mené par des Bruxellois francophones et des Wallons, s'était rangé dans l'opposition antiflamande. Quant aux socialistes, ils avaient besoin de toute leur énergie dans la lutte contre le patronat industriel et pour forcer l'avènement du suffrage universel pur et simple. Pour la classe ouvrière, le minimum vital l'emportait sur les problèmes linguistiques et culturels; les parlementaires socialistes n'en appuyèrent pas moins le vote des lois linguistiques. Edouard Anseele, le leader gantois, n'était pas un flamingant comme Moyson; néanmoins il réclama pour l'ouvrier le droit de parler sa propre langue. Camille Huysmans était socialiste et flamingant, et se fit le champion de ' l'unité politique de la nation et de l'autonomie culturelle de chacune des nationalités qui la composent'. N'empêche qu'un écart assez net subsistait entre les flamingants et les socialistes.
Les premiers, privés de contacts avec la réalité sociale du prolétariat ouvrier, n'avaient qu'une vision assez restreinte des problèmes de leur communauté. Ils étaient presque tous inconsciemment prisonniers de leur bien-être bourgeois. Les socialistes flamands de leur côté, forcés de se ménager l'appui de leurs camarades wallons, se retenaient de provoquer leur mécontentement en suscitant des difficultés linguistiques.

Cette attitude des socialistes ne se démentit plus au cours des années suivantes; bien au contraire : le comportement de certains flamingants durant la guerre ne fit qu'accroître leur méfiance vis-à-vis du 'nationalisme linguistique'.

En cette période de transition entre le triomphalisme libéral et le socialisme révolutionnaire, le mouvement qui visait à faire prendre conscience aux Flamands de leur valeur propre, ne manqua pas de témoigner d'une grande vitalité. L'opération-survie s'était déroulée avec succès. Depuis 1870 la communauté flamande de Belgique s'était systématiquement opposée à la francisation. Des jeunes, toujours en plus grand nombre, exigeaient le droit d'être Flamands et de parler néerlandais. La littérature du Sud pouvait à nouveau soutenir la comparaison avec celle du Nord.
Les classes dirigeantes qui, jusque là, étaient restées hostiles à toute flamandisation, commençaient à se fissurer. Dans le domaine économique également, les Flamands s'affirmaient. En 1908 fut fondé, à l'initiative de Leo Meert, le 'Vlaams Handelsverbond', précurseur du 'Vlaams Economisch Verbond'. Les membres se proposaient de promouvoir énergiquement l'emploi du néerlandais dans le monde des affaires et de l'industrie afin d'étendre la puissance économique du peuple flamand.
Le Mouvement flamand manifestait sa vitalité par des congrès, des conférences, la publication d'études et de pamphlets, ainsi qu'au sein de deux organisations culturelles solides, le 'Willemsfonds', groupant les libéraux, et le 'Davidsfonds', créée en 1875 par des catholiques dissidents du 'Willemsfonds' qui, mené par Vuylsteke, avait viré à l'anticléricalisme. Les Flamands s'étaient donné une fête nationale (le 11 juillet, jour anniversaire de la Bataille des Eperons d'Or, en 1302), un drapeau national (le drapeau noir et jaune frappé du lion de Flandre) et un chant national (le *Vlaamse Leeuw*), composé par Karel Miry en 1848, paroles de H.

Van Peene). Au mois de mai 1914, on annonça que Frans Van Cauwelaert et le Dr. A. Van de Perre allaient bientôt publier un journal flamand de combat : *De Standaard.* L'Algemeen Nederlands Verbond, dans le but de renforcer ses positions, étendit sa propagande aux Pays-Bas tout en s'attaquant au problème des ouvriers flamands dénationalisés dans les régions industrielles de Wallonie.

Si la vitalité du Mouvement s'était imposée, pourrait-on compter pour autant sur une modification rapide et profonde des mentalités dans l'establishment et sur une adaptation subséquente des structures de l'Etat unitaire ? Frans Van Cauwelaert avait foi en la croissance démographique de la Flandre; il mettait son espoir dans les effets à terme d'une éducation populaire culturelle et intellectuelle. D'autres flamingants demeuraient sceptiques. En effet, les lois linguistiques devaient être extorquées une à une à un parlement hostile et étaient sabotées dès leur entrée en vigueur. Les gouvernants témoignaient rarement de bonne volonté à l'égard des griefs flamands. La capitale se francisait à un rythme effréné. En 1846 encore, 66 p.c. de néerlandophones habitaient l'ancienne cité brabançonne; en 1910 ce pourcentage était tombé à 46 p.c.

De quel poids pouvait être une législation linguistique mal adaptée, dans une Flandre soumise à un bilinguisme inexistant en Wallonie, et où le peuple gardait sa déférence vis-à-vis de l'élite francophone ?

Ce fut à ces doutes, à ces questions, à ces espoirs que le Mouvement flamand se trouva confronté au seuil de la première guerre mondiale.

chapitre quatre

les années tragiques (1914-1944)

Le XIXe siècle mourut de sa belle mort en 1914. L'émancipation du peuple flamand allait exiger de plus lourds sacrifices. Les flamingants avaient connu en leur sein brouilles et discorde et, du côté des classes dirigeantes, la reconnaissance de leurs droits n'avait recueilli que mépris. Mais on avait respecté les règles du jeu. Derrière la rudesse des mots perçait la politesse du bourgeois. A partir de 1914 et durant plus de trois décennies, le Mouvement allait subir des ébranlements plus dramatiques. L'action linguistique devint une lutte nationale avec tout ce que cela comporte d'amertume, de calomnies, de suspicions, de trahisons, de haines fratricides, de déchirements idéologiques, de meurtres et d'assassinats. Le Mouvement flamand allait être entraîné dans une confrontation où l'on payait parfois de sa vie son idéal, soit au front, soit devant le peloton d'exécution.

1914 marqua la fin des congrès et des cortèges pittoresques : finis les chants des soirées estudiantines, les rêves des cercles d'amis où l'avenir de la Flandre s'élaborait devant les pots de bière et dans la fumée des pipes. C'était la guerre. Sans avoir été consultée, sans d'ailleurs posséder le moindre pouvoir de décision, la Flandre se trouva entraînée dans le conflit mondial. Une fois de plus l'élite flamingante était divisée, désemparée. Beaucoup d'entre ses leaders, dépourvus de formation et de sens politique, se trouvèrent incapables, dans la confusion des esprits et des événements, de conseiller judicieusement leurs troupes.

L'invasion de l'armée allemande ébranla non seulement la Belgique, mais aussi l'opinion flamingante. La plupart des Flamands avaient grandi dans une vague atmosphère de sympathie pour la culture allemande qui leur était plus proche que la culture française. Aussi l'influence germanique sur Rodenbach et sur le compositeur Peter Benoit, sur De Laet et Vermeylen, même sur Van Cauwelaert, était-elle indéniable.

Jamais cependant un courant panallemand ou pangermanique ne s'était manifesté dans le Mouvement flamand; les milieux flamands influents n'avaient jamais cherché à nouer des contacts suivis avec des milieux allemands; peu de Flamands connaissaient la langue allemande; livres et journaux allemands n'étaient presque pas lus en Flandre; celle-ci n'avait jamais opposé aux visées expansionnistes de Berlin qu'un refus froid, mais poli. Si le Mouvement flamand souhaitait une Flandre soustraite à toute francisation, il la voulait aussi à l'abri de toute germanisation. Il existait néanmoins une parenté sentimentale et d'aucuns voyaient dans le grand voisin un contrepoids à la puissance française. L'agression fut aussitôt qualifiée de trahison et condamnée. Grande fut la concorde nationale. La Flandre tout entière se rangeait derrière le roi Albert et chacun écouta avec émotion l'appel lancé par le Souverain. „Flamands, souvenez-vous de la Bataille des Eperons d'Or !"

Au début, le sentiment d'union nationale ne s'offusqua pas des articles maladroits autant que perfides parus dans la presse francophone belge, identifiant flamingantisme et germanophilie, et des menaces du genre : „après la guerre le flamingantisme ne passera plus". Les Flamands savaient à qui ils avaient affaire et ne perdirent pas patience. Quant à l'ennemi allemand, il encourut le mépris général. Seul le petit groupe qui publia *De Bestuurlijke Scheiding* et que

bientôt on désignerait sous le nom de 'Jong-Vlamingen', (Jeunes Flamands) fit exception. Sous l'influence d'un pasteur de l'Eglise réformée, J.D. Domela Nieuwenhuis Nyegaard, pangermaniste sentimental aux allures de prophète, le groupe des Jeunes Flamands manifesta, immédiatement après l'occupation de Gand, des sympathies pro-allemandes, et se déclara partisan d'une Flandre intégrée dans un vaste empire germanique.
L'occupant, peu au fait de la politique intérieure belge, observa d'abord une grande prudence. Sans pourtant que le gouvernement de Berlin ne se fut clairement et jusqu'à nouvel ordre, expliqué à ce sujet, il commença à encourager tout ce qui sapait l'unité et le caractère français de l'Etat belge. Dans l'optique allemande, les Flamands de race germanique ne pouvaient être que des alliés privilégiés...

Rien ne se passa dans les territoires occupés durant les premiers mois de la guerre. Petit à petit cependant, une certaine inquiétude se dessina dans les milieux flamingants, car la hargne antiflamande de la presse belge de France se répandait de plus belle, sans pudeur, sans même se faire désavouer par le gouvernement belge du Havre. D'éminents publicistes francophones dont la collusion avec les ministres et les généraux était notoire, publiaient jour après jour des attaques particulièrement haineuses contre la Flandre et le Mouvement flamand. Le point culminant de cette campagne fut le fait d'un journaliste wallingant, R. Colleye qui, en conclusion d'un article paru en août 1915, proclamait : „La Belgique de demain sera latine ou elle ne sera rien".
Les flamingants se concertèrent : August Vermeylen jugeait qu'il fallait laisser passer l'orage et se tenir coi. D'autres, par contre, craignant que le gouvernement n'adopte après la guerre une attitude antiflamande agressive, jugèrent plus souhaitable de continuer à œuvrer à la néerlandisation du

pays, nonobstant la présence allemande. D'autres pensèrent même tout haut qu'il fallait y contribuer *avec* l'aide des Allemands !

L'activisme

Dès l'été 1915 des contacts furent noués avec l'occupant. Tandis qu'un comité de Flamands radicaux suggérait discrètement à l'autorité allemande de faire appliquer les lois liguistiques belges, le groupe 'Jong-Vlaanderen', purgé de ses éléments modérés, intriguait sous la conduite de Domela en vue de la création d'un royaume de Flandre évoluant dans l'orbite de l'Allemagne. Des passions s'exerçaient conjointement de divers côtés pour la néerlandisation immédiate de l'université de Gand. Le gouverneur général von Bissing, jugeant apparemment que ce souhait concordait avec la 'Flamenpolitik' préconisée par Berlin, décida en décembre 1915 de néerlandiser radicalement l'université. Vermeylen, Anseele, Franck et d'autres leaders flamands protestèrent auprès des autorités allemandes et la plupart des professeurs de Gand refusèrent leur collaboration. Cependant, dans les rangs des flamingants, on hésitait. Quand Lodewijk Dosfel, homme intègre, adhéra, après mûre réflexion, à la décision allemande, se déclarant prêt à occuper lui-même une chaire, nombre de flamingants connus lui emboîtèrent le pas. Ces 'activistes' savaient qu'ils bravaient le gouvernement belge. Par arrêté royal du 16 octobre 1916, tous ceux qui avaient accepté une chaire à ' l'université von Bissing' furent radiés des ordres nationaux sans préjudice des sanctions ultérieures. Dans le rapport introductif de l'A.R. en question, le gouvernement promettait aux Flamands 'égalité complète aussi bien de droit que de fait', tant en ce qui concerne l'enseignement universitaire qu'en n'importe quelle autre matière.

A Gand l'année académique débuta le 24 octobre; 392 étu-

diants étaient inscrits à la date du 1er février 1918. De cette élite sortiront par la suite des hommes politiques et professeurs d'universités belges de renom, tels que Lode Craeybeckx, Max Lamberty et d'autres.
La rupture avec la majorité des Flamands était totale. Les activistes, considérés comme traîtres, se firent conspuer par la population et maints de leurs amis les blâmèrent sévèrement.
L'affaire de Gand ne fut cependant pas la seule en cause. En décembre 1916, le monde crut un moment que la paix était proche. L'empereur d'Allemagne fit une offre de paix. Le président des Etats-Unis demanda aux partis en guerre comment ils envisageaient la fin des opérations militaires et concevaient un nouveau réglement international. Pour les activistes la question se posa de désigner les porte-parole de la Flandre quand les négociateurs prendraient place autour du tapis vert. Fallait-il créer à cet effet un organe politique représentatif de toute la Flandre ?
Ce n'était pas là une simple question de forme. Le 4 février 1917, 125 flamingants, avec à leur tête P. Tack et A. Borms, créaient dans ce but le 'Raad van Vlaanderen'. Ce Conseil de Flandre, porte-parole des activistes, était composé de radicaux et d'unionistes; les premiers escomptaient une victoire allemande et la disparition de la Belgique, les seconds souhaitaient une paix négociée et l'union effective de la Flandre et de la Wallonie au sein d'un même Etat belge. Bien que ne disposant d'aucune compétence législative, le Conseil envoya quelques délégations auprès du gouvernement de Berlin, lui soumettant une constitution qui scindait politiquement la Belgique en régions linguistiques. En mars 1917, les Allemands qui avaient déjà appuyé des tentatives de néerlandisation de l'enseignement à Bruxelles, mirent en place la séparation administrative et décidèrent que les ministères wallons s'installeraient à Namur. Mais la nouvelle réglementation ne fut appliquée que partielle-

ment; la scission fut sabotée parce qu'elle se heurtait au mauvais vouloir de l'administration belge.
Le Conseil activiste s'enhardit aussi à proclamer l'indépendance de la Flandre, le 22 décembre 1917, mais personne ne le prit au sérieux, même pas les Allemands qui savaient fort bien que le Conseil ne représentait que lui-même et qu'il était haï de la population.
La publication la plus importante des activistes fut le 'Katholiek activistisch verweerschrift' (Apologie de l'activisme catholique), que rédigea Dosfel en novembre 1917. Dosfel qui n'avait jamais été membre du Conseil de Flandre et avait toujours gardé ses distances vis-à-vis des Allemands, y expliquait l'attitude politique de ses partisans et y motivait également son opinion personnelle, du double point de vue des principes et de la morale. Cette apologie qui fit grande impression sur bon nombre de flamingants, était hostile à toute séparation administrative qui eut été contraire aux lois belges et aux conventions internationales. Dosfel voyait plutôt la Belgique future garante d'une union véritable entre une Flandre et une Wallonie également indépendantes.

Après la guerre, les activistes furent traînés devant les tribunaux et condamnés. Leur trahison était-elle plus grave que celle des Tchèques, citoyens autrichiens appelant à leur secours les alliés occidentaux et combattant leur patrie officielle pour conquérir leur indépendance ? Sa bonne étoile conduisit le Tchèque Masaryk à choisir le côté des vainqueurs, tandis que Borms fut du côté des vaincus. Dans ses annales, l'histoire aurait pu ranger les activistes sous une autre épithète.
Les dirigeants étaient pour la plupart des idéalistes désintéressés et sympathiques. Ils furent entraînés dans un conflit auquel rien ne les préparait. C'étaient des enseignants, des hommes de lettres, de petits fonctionnaires ou em-

ployés sans expérience, ni formation politique. Ils ne rendirent pas la question flamande populaire auprès du grand public. Un mérite leur reste cependant : celui d'avoir pour la première fois soulevé la question de l'autonomie de la Flandre.
Jusqu'alors le Mouvement flamand s'était borné à la lutte pour la reconnaissance des droits linguistiques des Flamands dans une Belgique du Nord bilingue. Personne ne songeait à revendiquer l'autonomie politique. Ce furent les activistes qui s'en chargèrent. C'était un nouvel élément qu'on n'extirperait plus jamais entièrement du Mouvement flamand.

Les modérés

L'importance que revêt l'activisme ne réside pas uniquement dans sa soif d'indépendance, mais dans le fait que tous les autres courants proflamands nés de la guerre ont été expliqués en fonction de ce groupe minoritaire.
A côté des attentistes dont il a déjà été question, il y avait, aux Pays-Bas et dans les pays alliés, des flamingants modérés ou 'loyaux', fidèles à la Belgique et au gouvernement du roi Albert. Dans ce groupe, deux hommes se distinguèrent : Frans Van Cauwelaert et le Dr. A. Van de Perre. Ce dernier était devenu, dans les dix dernières années d'avant-guerre, une des figures les plus dynamiques et les plus éminentes du Mouvement flamand. Il émigra d'abord en Angleterre, revint en France où il jouit, en tant que médecin, parlementaire et flamingant écouté, d'un beau prestige dans les milieux gouvernementaux belges. Et s'il y comptait bon nombre d'ennemis également, ses avis furent souvent écoutés.
Van de Perre ne se contenta pas de ce rôle de conseiller, entre autres auprès des soldats du front de l'Yser, mais publia articles et mémorandums, et une étude volumineuse en anglais sur la question linguistique en Belgique. Par

crainte d'une victoire allemande et d'une germanisation imposée au pays flamand, il condamnait l'activisme. Mais sa confiance dans les intentions du gouvernement belge n'était pas absolue et il se refusait à taxer de malhonnêteté les agissements de ses amis activistes.
Van de Perre qui, après la guerre, allait éditer *De Standaard* et qui s'opposait à l'activisme, principalement pour des raisons tactiques, était partisan d'un regroupement de tous les flamingants une fois la paix rétablie.
La deuxième figure de proue du clan des modérés était Frans Van Cauwelaert. Emigré aux Pays-Bas immédiatement après l'invasion allemande, il y avait fondé l'hebdomadaire 'Vrij België', inflexiblement opposé aux activistes et à leurs tentatives de gagner la sympathie des milieux hollandais, comme c'était le cas déjà du journal 'De Vlaamsche Stem', de René De Clercq et Antoon Jacob. La position de Van Cauwelaert était difficile. Il était en butte aux attaques non seulement des flamingants radicaux, mais également de la presse francophone belge en France, qui continuait à voir en lui le flamingant par excellence. Le roi et quelques ministres le tinrent cependant en leur estime. Pendant toute la durée de la guerre, Van Cauwelaert s'efforça de convaincre les Flamands que, la Belgique libérée, le gouvernement adopterait une politique bienveillante à l'égard de leurs revendications.

Le mouvement frontiste

Par-delà les machinations politiques, les polémiques, les tâtonnements, les intrigues et les promesses dans le pays occupé ou dans les milieux gouvernementaux, la présence des Flamands au front de l'Yser revêtait une importance capitale. La jeunesse flamande y vécut la tragédie de la boue et de la misère.
Environ 90 p.c. des soldats belges étaient des Flamands,

alors que presque tout le corps des officiers était francophone. A l'Yser, quatre longues années durant, les jeunes Flamands eurent tout le temps de méditer à loisir sur le sens de la vie et de la mort, sur la place qu'ils occupaient dans l'Etat et la société et — question éminemment poignante — pourquoi, parce que Flamands, ils se trouvaient en butte aux brimades des autorités. A ces questions, à ces doutes, certains allaient tenter de répondre, tels le professeur Frans Daels, médecin militaire, ou encore le prêtre Cyriel Verschaeve qui secourut les soldats dans son presbytère, situé à proximité des lignes de feu.
Des cercles d'étude flamands, destinés principalement, mais non exclusivement, aux intellectuels, virent le jour dans la plus pure tradition du mouvement estudiantin. On y discutait de la Flandre et de la Belgique et des dangers du désarroi moral. Des caractères s'y trempèrent durablement. En souvenir des soldats morts au champ d'honneur furent édifiées les fameuses croix celtiques, dessinées par Joe English, portant l'inscription : „Alles Voor Vlaanderen - Vlaanderen Voor Kristus (A.V.V. - V.V.K.)", c'est-à-dire „tout pour la Flandre, la Flandre au Christ".
Les autorités militaires qui n'appréciaient guère l'action flamande au front, multipliaient les vexations. Le roi Albert cependant, ainsi que quelques ministres flamands, comprirent qu'une intervention brutale entraînerait des conséquences catastrophiques pour la discipline militaire. N'empêche qu'en février 1917, les cercles d'étude furent interdits par les autorités militaires. Le mouvement frontiste prit alors le maquis avec à sa tête 'le grand bailli' (ruwaert) Adiel Debeuckelaere, flanqué de ses deux adjoints Filip De Pillecijn et Rik Borginon. Le 11 juillet 1917, les meneurs du mouvement frontiste adressèrent au Roi une lettre ouverte blâmant l'attitude des officiers et précisant en outre: „Nous sommes toujours prêts à verser notre sang, mais contre la promesse expresse, écrite et solennelle que nous soient

reconnus immédiatement après la guerre entière égalité et pleins droits... Nous sommes des Flamands libres et nous voulons une Flandre libre dans une Belgique libre".
Le 15 août le Roi chargea mademoiselle Belpaire, une dame flamingante, issue de la haute bourgeoisie anversoise et résidant dans une villa à la côte, en territoire non-occupé, de dire aux frontistes qu'il comprenait la question flamande...
En octobre 1917, De Pillecijn et Borginon publièrent le document capital du mouvement frontiste *Vlaanderen's dageraad aan de IJzer* (l'Aube flamande à l'Yser). Les soldats du front y défendaient la thèse que la Belgique unitaire était dépassée et qu'il fallait la transformer en un état fédéral. En sa conclusion le document proclamait: „Vive une Flandre libre dans une Belgique libre et indépendante".
Les meneurs du mouvement frontiste se refusaient ostensiblement à condamner l'activisme. En l'absence de preuves suffisantes, ils ne voulaient pas désapprouver la conduite de gens qui s'étaient toujours distingués par leur intégrité. Quant à la politique prônée par Van Cauwelaert dans son hebdomadaire *Vrij België,* elle était dépassée, à leur estime, par la tragédie de l'Yser.
Au début de l'année 1918, la question du mouvement frontiste fut inscrite à l'ordre du jour du Conseil de la Couronne. A l'Yser, l'atmosphère était franchement mauvaise, tout empreinte de défaitisme; des soldats se révoltaient contre leurs officiers; de petits groupes de radicaux intriguaient pour que l'armée belge dépose les armes. Parmi ces derniers C. Verschaeve, gagné peu à peu à un sentiment antibelge, développa ses opinions dans un *Catéchisme du Mouvement flamand,* qui fut répandu parmi les combattants.
En mars, le premier ministre de Broqueville proposa qu'une commission flamande étudie les griefs exprimés par les

soldats, mais le ministère tomba en juin et la commission disparut dans les oubliettes.
Pendant ce temps, les meneurs du mouvement frontiste avaient envoyé à travers les lignes de feu, un déserteur, Jules Charpentier, avec mission d'entrer en contact avec Dosfel et d'autres flamingants éminents en pays occupé et de se documenter d'une façon plus précise sur leur action en les éclairant sur les menées flamandes à l'Yser. De son côté, Verschaeve avait envoyé un émissaire, Karel Van Sante, novice chez les Dominicains, s'assurer des chances d'un compromis entre activistes et combattants du front. Entrait-il aussi dans ses intentions de négocier entre Allemands et Flamands un armistice séparé ? Les meneurs du mouvement frontiste l'ont toujours nié, mais il est possible que Charpentier et Van Sante aient outrepassé leur mission. Plus tard les déserteurs allaient constituer un atout idéal entre les mains de la presse francophone qui multipliait ses attaques contre le mouvement frontiste et contre le Mouvement flamand en général.

Heureusement la lutte allait prendre fin. En septembre 1918, Debeuckelaere fut fait prisonnier. Les déplacements des divisions en vue de l'offensive finale des alliés désemparèrent le mouvement frontiste. Beaucoup de ses dirigeants furent tués lors du dernier assaut. Quant à la masse des soldats, elle n'était que trop portée à oublier momentanément ses griefs à l'approche de la victoire et du retour au foyer.
L'armistice de novembre 1918 mit un point final à la confrontation militaire. Les idées qui avaient germé pendant la guerre n'en survivraient pas moins. Malgré la dissolution des organisations frontistes et activistes, le souvenir de l'injustice subie collectivement et les mises à pied réduisant maint 'collaborateur' à l'état de mendicité, allaient aiguiser le radicalisme de bon nombre de flamingants.

Peu de temps après l'armistice, lorsque le professeur Frans Daels, qui s'était dévoué corps et âme, quatre années durant, auprès des soldats dans les hôpitaux du front et les lazarets de campagne, rentra, monté sur un cheval d'officier, dans Gand en liesse, et qu'il se fit accueillir par sa famille dans sa demeure pavoisée aux couleurs belges, il eut ces mots : „Enlevez-moi ce drapeau ! Je vous expliquerai tout ça plus tard, mais enlevez-moi ça. Et le premier qui parlera encore français chez nous, je le f... à la porte !"
Ainsi s'ouvrit une nouvelle période d'aggressivité flamande.

Le triomphalisme des vainqueurs

Ceux d'entre les flamingants qui, tout au long de la guerre, étaient restés fidèles à la Belgique, triomphaient à l'heure de la victoire. Exultation éphémère cependant, car l'establishment francophone manifestait une joie arrogante, croyant sa position consolidée, grâce à la victoire de la France, la grande nation-sœur. Les premières années de la paix rétablie furent celles d'un triomphalisme belgiciste résolument antiflamand. Si l'attitude des activistes et des frontistes avait incontestablement contribué à l'éclosion d'un sentiment national flamand, le nationalisme probelge lui aussi avait repris vigueur. Le monde entier avait suivi la pitoyable odyssée de 'pour little Belgium'. Une auréole d'admiration internationale nimba soudain un pays qui, en 1830, disposait d'à peine assez d'oxygène pour survivre et qui, durant une bonne partie du XIXe siècle, s'était frayé sa voie malgré le mépris des grandes puissances. Cette Belgique existait donc puisqu'on lui découvrait une âme ! Et du même coup, le Congo, possession belge depuis une dizaine d'années à peine, haussa le petit pays victorieux au rang de puissance coloniale. Qui pouvait lui dénier encore le droit à l'existence ?
Dans ce climat d'autosatisfaction, patriotes et impérialistes

portaient la tête haute. Pendant la guerre, en France, ils avaient à peine caché leurs rêves expansionnistes. Le moment semblait favorable pour mener campagne, avec l'aide de Paris, en vue de la création d'une plus grande Belgique, à laquelle on annexerait le Grand-Duché de Luxembourg, le Limbourg hollandais, la Flandre zélandaise et un morceau considérable de la Rhénanie. Un Comité de Politique Nationale fut mis en place; il se grisait de chauvinisme belge et recrutait ses membres principalement parmi l'aristocratie et la bourgeoisie francophones. Beaucoup de Flamands étaient supéfaits de voir ces tentatives entreprises sans qu'ils aient été consultés. Entre-temps, et avec la plus grande mauvaise foi, la presse francophone donna le ton pour rendre suspects tous les flamingants, confondant le flamingantisme loyal et probelge avec l'activisme et la haute trahison.

Le 11 novembre 1918, le roi Albert s'était concerté au château de Loppem-lez-Bruges avec les porte-parole des principales tendances politiques, afin d'élaborer un programme gouvernemental commun. Les socialistes y obtinrent l'assurance que serait instauré le suffrage universel pur et simple, avant même l'indispensable revision de la Constitution.

Des leaders flamands, représentants de leur peuple, n'avaient pas été conviés à Loppem, même pas Van Cauwelaert, l'adversaire farouche de l'activisme.

Le 22 novembre, dans son discours du trône au Parlement, le Roi exposa la nouvelle politique. Il promit, entre autres, stricte égalité et justice en matière linguistique ainsi que la mise en chantier d'une université néerlandaise à Gand. Paroles vagues et prudentes bien faites pour désenchanter l'opinion publique flamande.

En mai 1919, dans une vive interpellation à la Chambre, A. Van de Vyvere, A. Van de Perre et Fr. Van Cauwelaert rappelèrent le programme des revendications et des griefs flamands, les humiliations subies au front de l'Yser, et réclamèrent la décentralisation administrative et la néerlandisation de l'université de Gand. Malgré la violence de leur indignation, leurs propos furent modérés. Ils acceptaient toujours le droit, pour qui le désirait, d'user de la langue française en Flandre.

L'interpellation ne fut qu'un coup d'épée dans l'eau. Le gouvernement réagit évasivement et tenta d'étouffer l'affaire. Il se refusait à admettre l'existence d'un problème flamand dans la Belgique d'après-guerre, promettant que petit à petit il finirait bien par se créer à Gand, à côté de l'université francophone, une université 'flamande'. Outré, Van Cauwelaert écrivit dans son journal: „Le gouvernement a déclaré la guerre au peuple flamand".

Cette désillusion allait, durant de nombreuses années, fixer la ligne de conduite des flamingants. La Flandre de l'après-guerre avait pris un mauvais départ et le malaise allait persister longtemps. En novembre 1919, de nouvelles élections démocratiques, au suffrage universel, renforcèrent les positions flamandes. Le parti libéral, grignoté, se retrouva numériquement affaibli. L'arrivée en force des démocrates-chrétiens et l'entrée en scène massive du parti socialiste, parurent d'heureux présages, mais les libéraux soutenant tantôt l'un, tantôt l'autre parti, réussirent à se maintenir au pouvoir presque sans interruption et à pratiquer leur politique antiflamande.

Van Cauwelaert, porte-parole du 'Katholieke Vlaamse Landsbond', association dont il allait faire pour de longues années son instrument de combat, avait établi en vue des élections, une sorte de programme minimum, prévoyant la néerlandisation de la vie publique en Flandre, et ce principalement, grâce à des lois linguistiques améliorées.

Entre-temps l'opinion publique se sensibilisait toujours davantage aux problèmes nationaux de la communauté. Les récitals d'Emile Hullebroeck et le 'Vlaams Volkstoneel', le

Théâtre populaire flamand d'Oscar De Gruyter, allaient, jusque dans les plus petits villages, aiguiser la conscience flamande, tandis que le Davidsfonds pénétrait systématiquement dans un nombre toujours plus grand de foyers. Le Willemsfonds par contre, organe culturel libéral, se trouvait handicapé par les prises de position antiflamandes du parti libéral. Du côté des intellectuels, des associations diverses voyaient le jour, cercles d'étudiants, cercles d'anciens; mais à l'atmosphère bon enfant de jadis avait succédé une attitude plus scientifique face aux problèmes qui se posaient. On n'avait pas oublié Lodewijk De Raet et bon nombre de jeunes s'inspirèrent de son réalisme et de ses opinions économiques.
Le 4 septembre 1920, à Steenkerke, fut rendu le premier hommage aux soldats morts à l'Yser. Cette cérémonie modeste fut le prélude aux grandioses pèlerinages de Dixmude. De Standaard, le journal du Dr. Van de Perre et de Van Cauwelaert, parut en 1919. Ce journal, devenu rapidement le porte-parole de l'élite flamingante modérée, s'attacha, à partir de 1929, sous l'impulsion du nouveau propriétaire, Gustave Sap, à la défense du flamingantisme radical.
En 1922 fut créé le 'Vlaamse Toeristenbond'; en 1926, le puissant 'Vlaams Economisch Verbond', enfant du 'Handelsverbond'. Ce fut l'époque où, dans le monde littéraire, de jeunes artistes tels que P. Van Ostaijen, M. Gijsen, W. Moens et A. Mussche, mirent l'accent sur une éthique politico-littéraire flamingante, opposée à l'esthétisme probelge des émules de Karel Van de Woestijne.

Ces initiatives voyaient le jour dans un climat d'amertume antibelge toujours croissant. Les activistes avaient été condamnés à de lourdes peines et Borms, condamné à mort, allait passer dix ans en prison. Parmi les condamnés, il faut citer encore Dosfel, A. Jacob, le père Stracke, W. Moens, l'ancien député Henderickx. Des noms prestigieux.

Un grand nombre de Flamands qui n'avaient jamais sympathisé avec l'activisme, désapprouvèrent pourtant la rigueur du châtiment. La rancœur du groupe des radicaux s'en accrut encore et la mort de l'étudiant Herman Van den Reeck, abattu par la police à Anvers, lors d'une commémoration du 11 juillet, en 1920, ne fit que durcir encore les oppositions.

Du côté de la rue de la Loi, le radicalisme ne fit que se raffermir. Les catholiques flamingants modérés se retrouvaient dans le 'standenpartij' traditionnel, parti qu'après sa mise en liberté, Dosfel allait soutenir : pour lui la primauté des valeurs religieuses sur les valeurs purement politiques ne pouvait être mise en doute. Quelques flamingants aux tendances sociales prononcées adhérèrent au parti socialiste. Les flamingants libéraux se consacrèrent principalement aux activités culturelles extra-parlementaires. Les radicaux choisirent leur voie propre.
En 1919, à l'initiative d'un petit groupe d'anciens combattants, fut créé le Vlaams Front, soutenu bientôt par les anciens activistes. Ce n'était pas une formation fermée de nationalistes, mais plutôt un regroupement de factions diversifiées par des intérêts régionaux et locaux, tantôt collaborant, tantôt désunis, suite à des querelles personnelles ou à des divergences d'opinions. Des efforts constants étaient entrepris pour neutraliser les oppositions philosophiques ou religieuses et pour instaurer un compromis qui permettrait de grouper toutes les énergies dans une lutte dominée essentiellement par les intérêts linguistiques et politiques.
Au Parlement, la droite flamande était très nettement divisée en un groupe de 'minimalistes' et une mosaïque de factions nationalistes. Les premiers, sous la conduite de Frans Van Cauwelaert, œuvraient au sein même du vieux parti catholique pour l'obtention de meilleures lois linguis-

tiques; ils rejetaient l'idée de l'autonomie régionale et plaçaient leur foi en un flamingantisme culturel.
Dans les rangs des radicaux, certains rêvaient d'une Flandre indépendante, d'autres d'une Belgique fédérale; d'autres encore d'une union de la Flandre et des Pays-Bas au sein d'une nation grand-néerlandaise.
Une tentative des modérés en vue de rassembler en une association unique les forces politiques éparses, fut un fiasco. Partout la division régnait, jusqu'au sein du groupe catholique flamand de la Chambre, fer de lance de l'action parlementaire. Les ambitions de Van Cauwelaert s'y trouvaient entravées par la prudence des ainés tels que Van de Vyvere, Poullet et Helleputte qui, quoique flamingants, n'étaient nullement disposés à provoquer la chute du gouvernement sur une 'question linguistique'. Van Cauwelaert était, d'autre part, en butte aux attaques impitoyables des nationalistes radicaux qui disposaient de revues assez influentes (telles que *Vlaanderen* de J. De Decker et du prêtre Rob. De Smet), entretenant une haine quasi pathologique de la Belgique. Ce radicalisme flamand avait également l'appui des prêtres Cyriel Verschaeve et Odiel Spruytte, de même celui du jeune député Joris Van Severen, un ancien combattant, à ses débuts farouchement hostile à l'Etat belge, mais qui, gagné à des théories fort subtiles, évolua par la suite vers une conception beneluxienne avant la lettre, mais élaborée dans une perspective autoritaire, 'bourguignonne' et fasciste.
Les flamingants radicaux ne jouissaient au Parlement que d'une influence réduite. Ils s'épanchaient dans des revues, hebdomadaires ou mensuels, y mettant en question avec passion les notions d'état, de peuple, de nation, ce qui, jusqu'à nouvel ordre ne pesait que d'un maigre poids dans l'évolution politique de la Belgique.
Bien qu'à la Chambre les 'minimalistes' flamands fussent plus forts, ils avaient à y lutter sur deux fronts : celui des

francophones d'une part et celui des nationalistes flamands de l'autre.
Dès la reprise des activités parlementaires, ils s'attaquèrent au problème de la néerlandisation de Gand. En 1918, le gouvernement s'était empressé de supprimer l' 'université von Bissing' et de rétablir l'ancienne université francophone. Après deux années d'amères contestations, le gouvernement céda, en 1923, et à l'initiative du ministre Nolf, l'université de Gand fut néerlandisée... à moitié. 'La boîte à Nolf' ne suscita aucun enthousiasme. La bourgeoisie francophone parla 'd'un crime contre l'esprit' et créa, en vue de saboter l'université, une Ecole des Hautes Etudes, jouxtant la nouvelle institution. Les Flamands, heurtés par le côté équivoque de la formule, réclamèrent la néerlandisation complète. Ce ne fut qu'en 1930 qu'ils obtinrent gain de cause.
D'autres réalisations suivirent. En 1921 fut votée une nouvelle loi linguistique en matière administrative, mais comme elle n'était assortie d'aucune sanction contre les contrevenants, elle fut sabotée, elle aussi. En raison des principes dont elle s'inspirait, cette loi pourtant ne fut pas sans importance. Non seulement d'application en Flandre, elle réglait l'emploi des langues dans l'ensemble du Royaume, dans les provinces et les communes. Un Wallon, employé dans un service public en Flandre, devait désormais, pour ses contacts avec le public, connaître le néerlandais. L'opinion publique wallonne s'en émut vivement. La législation linguistique et les projets flamands de bilinguisme généralisé accrurent sa méfiance.
En 1925, le ministre Camille Huysmans prit toute une série de mesures qui contribuèrent à une néerlandisation plus poussée encore de l'enseignement dans les provinces flamandes. Entre 1922 et 1926 la législation linguistique bénéficia de divers amendements, et, en novembre 1928, une loi régla l'emploi des langues à l'armée.

Pourtant il ne s'agissait là encore que de la rédaction laborieuse et ingrate de textes à portée limitée. L'élite de la société belge restait fidèle à ses attaches francophones : dans les magasins de luxe d'Anvers et d'autres villes de province de Flandre, le bourgeois continuait à s'exprimer en français. Cette attitude contribua à renforcer le scepticisme des nationalistes envers l'efficacité des lois linguistiques et leur souhait de réformes plus fondamentales, recueillant par là la sympathie de la jeune génération. Cependant le haut clergé catholique, qui voyait dans le nationalisme flamand un danger, non seulement pour l'unité belge, mais aussi pour le parti catholique, s'efforçait de saper son influence sur la jeunesse. Aussi fit-il la vie dure aux cercles estudiantins à la Rodenbach qui finirent par être éliminés. Par ailleurs se constituèrent, sous diverses formes, des groupements de jeunesse catholiques qui tentaient de concilier mysticisme flamand et mysticisme belge.

Les nationalistes, en absorbant le daensisme, s'assurèrent l'appui des organisations sociales démocrates-chrétiennes d'Alost, ce à quoi la Confédération des Syndicats Chrétiens réagit violemment, ce qui ne l'empêcha pas de mener par la suite une politique flamingante. Malgré cette prise de position de la C.S.C., les nationalistes n'en accrurent pas moins leur nombre d'électeurs : de 45.000 en 1914, ils passèrent à 140.000 en 1929.

Et pourtant, c'est moins à la propagande et à l'agitation des nationalistes qu'il faut attribuer les avantages obtenus, qu'aux incessantes campagnes antiflamandes du triomphalisme belge. En effet, la hargne de la presse et des politiciens francophones exacerba le Flamand le plus paisible... et entrava les efforts des modérés qui, sous la conduite de Van Cauwelaert, continuaient à jouer la carte de la compréhension mutuelle et de la réconciliation, dans le cadre de la Belgique et du parti national catholique unitaires.

Les bases du renouveau flamand furent jetées durant les dix années qui suivirent la guerre. Ce fut une période de préparation, de réflexion et d'initiatives inédites. Suite aux épreuves de la guerre, la politique du Mouvement flamand se caractérisa par un durcissement, qui ne fut dépassé en acharnement que par le fol orgueil des milieux dirigeants francophones. Ceux-ci se refusaient à reconnaître que quelque chose avait changé en Flandre et que la Belgique devait être régénérée. Cette attitude politique et psychologique de l'establishment raidit la résistance des flamingants contre l'état bourgeois unitaire et centralisateur.
La faiblesse économique et sociale des provinces flamandes où les salaires, en ce temps-là, étaient très bas et le chômage structurel considérable, accrut encore les tensions latentes dans la communauté flamande, en exacerbant le sentiment d'abandon et de frustration. Aussi, dans les dix années qui suivirent, l'opinion évolua-t-elle vers un plus grand radicalisme et une soif accrue d'autonomie.

Retour de manivelle

A la fin de l'année 1928 la domination belgiciste subit un coup décisif dont elle ne devait jamais se relever entièrement. Jusqu'alors la bourgeoisie qui donnait le ton feignait d'ignorer l'existence d'un malaise, d'un problème liguistique, d'une question flamande.
La presse francophone clamait, et c'était là son leitmotiv, que tous les dégâts étaient le fait d'un petit groupe de fanatiques frustrés et méprisés par la population flamande. Après le 9 décembre 1928, ce ton allait devenir difficilement défendable...
Une élection partielle fut organisée à Anvers ce jour-là, afin de pourvoir au remplacement d'un député libéral décédé. Aucun suppléant n'étant disposé à lui succéder, le corps électoral avait été convoqué.

Ni le parti catholique, ni le parti socialiste ne présentèrent de candidat. Les nationalistes, eux, fixèrent leur choix sur le chef des activistes, le Dr. Auguste Borms, toujours emprisonné à Louvain. Les résultats de ce scrutin d'hiver firent frémir le pays : Borms obtint 83.058 voix contre 44.410 au candidat libéral.
Ce fut là un événement important dans l'histoire de la Belgique. La plus grande des villes flamandes avait non seulement voté pour un condamné à mort pour haute trahison, mais aussi, sembla-t-il, contre Bruxelles et la politique du pouvoir établi. La capitale comprit l'avertissement et, si les cercles dirigeants ne firent preuve d'aucune complaisance, désormais les Flamands n'étaient plus, à leurs yeux, négligeable engeance. Le radicalisme flamand, jusque là considéré comme folklore, se révélait un danger.

L'élection de Borms marqua le début d'une ère nouvelle. Borms, dont le mandat avait été annulé, fut libéré pourtant le 17 janvier 1929. Mais il refusa le rôle qu'on lui offrait au sein des partis et, se plaçant au-dessus des groupements nationalistes, il préféra user de sa grande autorité morale en faveur des hommes politiques qui avaient sa confiance. L'incident fit comprendre aux ministres et chefs de partis qu'il fallait faire quelque chose. Certains mots désormais n'étaient plus considérés comme tabous. Le parti national catholique s'enquit des vœux de ses députés flamands. Van Cauwelaert, leur porte-parole, se référa au programme minimum de 1919 réclamant la néerlandisation de Gand, une meilleure situation linguistique à l'armée et dans les tribunaux, la néerlandisation de l'enseignement moyen supérieur, l'application des lois liguistiques sur le plan gouvernemental, le respect du Flamand à Bruxelles, l'amnistie administrative. Des réactions se manifestèrent encore ailleurs. Alors que les conservateurs francophones s'accrochaient au principe du bilinguisme en Flandre, un 'compromis des Belges' fut

mis sur pied chez les socialistes, le 16 mars 1929, sous l'impulsion de Camille Huysmans et de Jules Destrée.
Ce compromis allait dorénavant fixer les lignes de conduite du parti ouvrier belge; il se basait sur le principe de l'unilinguisme de la Flandre et de la Wallonie, le bilinguisme devant rester une exception. Les services publics devaient être scindés en rôles flamand et français et un statut spécial devait être prévu pour l'agglomération bruxelloise.
De ces quelques principes très généraux, l'application allait tarder quelques dizaines d'années encore. N'empêche, un net progrès avait été réalisé qui rendait impossible tout retour en arrière.

Les élections générales du 29 mai 1929 furent favorables aux partis nationalistes et le groupe catholique flamand de la Chambre en sentit la menace pour ses effectifs. Au Parlement on s'était attelé très sérieusement à la néerlandisation de Gand. La loi fut prête en avril 1930 et Auguste Vermeylen devint le premier recteur de l'Université flamande de l'Etat.
Entre-temps s'était produit un événement aux conséquences très importantes pour les Flamands du parti catholique. *De Standaard,* jusqu'alors l'arme de Frans Van Cauwelaert, était passé, en septembre 1929, dans les mains du député G. Sap, un homme riche, professeur à l'université de Louvain, flamingant convaincu et l'une des figures belges les plus représentatives de l'entre-deux-guerres. Sous son impulsion, le journal de l'élite flamingante entreprit de démanteler avec obstination les positions prudentes défendues par Van Cauwelaert, toujours fidèle à ses conceptions de jeune militant : attachement inconditionnel à l'unité belge, confiance en la force du flamingantisme culturel et des lois linguistiques. Van Cauwelaert, en effet, rejetait toujours le fédéralisme et soutenait que les Flamands arriveraient au pouvoir en Belgique par le seul jeu de leur croissance dé-

mographique et grâce au déplacement progressif du centre de gravité économique de la Wallonie vers la Flandre, de même qu'au relèvement culturel de la masse populaire. Vers les années trente, il avait mis, au service de ses idées, toute son énergie, son talent oratoire et ses dons de fin manœuvrier, soutenu par le groupe catholique flamand de la Chambre, à l'exception de quelques-uns, dont Sap, son adversaire irréductible. Les résultats de cette politique prudente ne se firent pas attendre et de nouvelles lois linguistiques en matière d'administration (du 28 juin 1932) et d'enseignement (du 14 juillet 1932) virent le jour. Leur élaboration exigea de longs et difficiles débats parlementaires au cours desquels les francophones déchaînés entraînèrent la chute du gouvernement. Finalement, d'incident en incident et de compromis en compromis, les nouveaux textes se virent adoptés.
L'accord fut loin d'être unanime en Flandre. Pour l'enseignement primaire, il fut décidé que la langue véhiculaire serait la langue de la région. Il était pourtant prévu des 'classes de transition' où les élèves ne parlant pas la langue de la région, étaient autorisés à suivre les cours dans une autre langue. De sorte que les enfants de la bourgeoisie francophone de Flandre recevaient toujours leur enseignement en français. Ce qui avait pour effet d'enlever à la loi quelque peu de son efficacité en contrariant la promotion de l'unilinguisme et la suppression des barrières aussi bien sociales que linguistiques. Dans l'enseignement moyen supérieur, où la langue imposée était également la langue véhiculaire, on laissa subsister partout les soi-disant sections wallonnes. Mais, même si les minorités francophones de Flandre continuaient à jouir de leurs prérogatives linguistiques, un pas encore avait été franchi. La Wallonie, quant à elle, garda son homogénéité culturelle et jamais il ne fut question d'y instaurer un enseignement dans une autre langue que le français; les centaines de milliers de Flamands

immigrés y restaient tout bonnement coupés de leur langue et de leur culture. A Bruxelles capitale, c'était la langue maternelle de l'enfant qui décidait de son appartenance à l'un ou l'autre rôle d'enseignement, mais cet article resta purement théorique; de fait, la francisation de la jeunesse flamande se poursuivait sans ambages dans l'agglomération. Dans les administrations publiques, la nouvelle loi instaura les rôles linguistiques, grâce à la nomination d'adjoints linguistiques qui doublaient les fonctionnaires unilingues en place. Les services devinrent donc bilingues, mais comme aucune sanction n'était prévue, la loi pouvait être transgressée impunément.
Ce qui pour les Flamands modérés était un succès, ne l'était plus pour une importante fraction de l'opinion flamande, attachée à la séparation administrative. Mais les cercles francophones veillaient et, multipliant leurs réflexes antiflamands, ne se firent pas faute de boycotter publiquement les lois linguistiques. Aussi ces lois furent-elles une nouvelle cause de trouble pour la politique belge déjà passablement envenimée par la question flamande.
Les flamingants, depuis si longtemps attachés au fait belge et désireux seulement de modifier la législation concernant l'emploi officiel des langues, envisagèrent peu à peu une refonte plus fondamentale de l'Etat.
Les fêtes du centenaire de l'indépendance, en 1930, donnèrent lieu à des incidents antibelges, comme ce fut également le cas lors du pèlerinage de l'Yser à Dixmude, où les gendarmes eurent à repousser l'assaut de manifestants déchaînés. Précisons que le pèlerinage de l'Yser était devenu le ralliement annuel des nationalistes radicaux et que le discours traditionnel du professeur Daels y prenait allure de philippique. A l'armée, il y eut des cas spectaculaires d'insubordination de soldats flamands refusant d'obtempérer à des ordres donnés en français, ou prétendant ne pouvoir servir sous le drapeau belge.

Depuis toujours antimilitariste, l'opinion flamande ne désapprouvait guère ces mouvements de protestation. Les socialistes aussi — à ce moment encore partisans de la politique du fusil brisé — applaudissaient au pacifisme de ces réfractaires. Ils restaient néanmoins hostiles à un nationalisme qui avait de profondes attaches avec le catholicisme et qui semblait trouver son plus grand appui dans des classes moyennes, indifférentes aux problèmes des travailleurs.

Il manquait encore au radicalisme flamingant en pleine expansion le soutien d'un parti politique solide. Les nationalistes, divisés en factions ennemies, n'affichaient un semblant d'unité nationaliste qu'au Parlement.
L'influence des anciens activistes avait supplanté peu à peu celle des anciens frontistes. Franchement antibelges, ces activistes rejetaient toute idée de fédéralisme, professant un idéal résolument grand-néerlandais. Mais dans leurs rangs aussi des dissensions se manifestèrent, particulièrement lorsque, le 25 mars 1931, le député nationaliste Herman Vos déposa à la Chambre le premier projet d'état fédéral. Bon nombre de nationalistes rejetèrent ce projet qui, à leurs yeux, renforcerait l'Etat belge. „Voor 't Belgikske nikske" (Aucun compromis avec la petite Belgique)* était leur devise. Aussi le projet fut-il rapidement enterré. Vos, intellectuel libre penseur, doué d'un sens social très développé, se désolidarisa des flamingants radicaux pour passer, peu de temps après, au parti socialiste.

Rapprochements avec la droite

Le clan des nationalistes probelges ne s'avoua pourtant pas battu. Bien au contraire, son influence allait croître grâce au sens politique de leaders tels que H. Borginon, G. Romsee

* Calembour patoisant (N.D.T.)

et H.J. Elias. En réaction contre l'évolution antidémocratique de leurs amis, ils songèrent à la constitution d'un large front avec la collaboration des flamingants du parti catholique.
Cette idée fut combattue non seulement par les nationalistes extrémistes, mais aussi par l'ancien député Joris Van Severen qui créa, en 1931, une association de 'solidaristes', le Verdinaso (Verbond van Dietse Nationaalsolidaristen). C'était un corps d'élite, de formation paramilitaire, lié à son chef par un serment d'obéissance inconditionnelle. Par sa personnalité charismatique, Van Severen exerça une influence profonde sur ses adeptes et recueillit même les sympathies de certains membres de l'aristocratie francophone.
Van Severen était un passionné de la culture française. S'inspirant de Maurras et de l'Action Française, il combattait le régime parlementaire, le marxisme, la social-démocratie et rêvait d'un 'état populaire thiois' assez sembable au Cercle de Bourgogne du XVIe siècle. Son antibelgicisme qui, après la première guerre mondiale, indigna ses collègues de la Chambre, évolua par la suite vers un patriotisme assez traditionnel. Le Verdinaso pourtant, ne groupa jamais qu'une très petite minorité. Penseur tourmenté, trop imbu de sa personne et trop capricieux dans ses prises de position politiques, Van Severen n'eut jamais prise sur la grande masse des flamingants.
C'est par erreur qu'en mai 1940, il fut arrêté par la justice belge et évacué vers la France avec quantité d'autres suspects; il y trouva la mort à Abbeville, assassiné par des soldats français ivres. Le Verdinaso ne lui survécut pas.

Le caractère particulier du Verdinaso et l'intolérance agressive des nationalistes antibelges restaient des manifestations marginales. Plus importante et plus prometteuse pour l'avenir fut l'influence du groupe Borginon. A mesure que ces

démocrates arrivaient à rallier à l'idée d'une politique moins 'sauvage' les fractions nationalistes éparses, une forme de rapprochement se dessinait entre les nationalistes modérés et les jeunes flamingants du parti catholique. Des contacts discrets réunirent de petits noyaux d'intellectuels catholiques qui imputaient la faiblesse de leurs mandataires aux divisions des forces flamingantes. De plus, dans la crainte qu'à l'exemple du reste de l'Europe occidentale, ne se constitue un bloc antichrétien de front populaire, ils se proposaient de créer une formation chrétienne de type corporatif.
Au début cependant, les pourparlers n'aboutirent guère... Ce second semestre de 1932 vit, en effet, la question flamande passer quelque peu au second plan de la politique : la nation était ébranlée par la crise économique. Les troubles monétaires internationaux, l'effondrement de la bourse et du marché des capitaux, le krach de banques célèbres, ruinèrent en Belgique des milliers de petits épargnants. La confiance en la monnaie s'était perdue. Le chômage pesait lourd sur le monde ouvrier, déjà réduit à des salaires insuffisants.
Normalement la politique socio-économique aurait dû constituer l'enjeu des élections générales du 27 novembre 1932; le parti catholique réussit cependant à acculer son rival sur un terrain qui lui était plus familier : celui de la lutte scolaire. On se battit donc principalement pour 'la belle âme de l'enfant'. Les catholiques l'emportèrent et le parti libéral, défenseur traditionnel de ' l'école sans Dieu', marqua un net recul. La montée des nationalistes aussi parut stoppée.
Après les élections, la crise s'aggrava. La politique déflatoire des gouvernements qui se succédèrent de 1932 à 1935, ne réussit pas à redresser la situation. C'est alors que, dans l'opposition, parut Henri de Man, père du 'plan de travail'. Rompant avec la doctrine marxiste traditionnelle de la lutte des classes, il espérait résoudre les problèmes économiques dans le cadre de l'Etat belge, en rejetant le mythe de la

solidarité ouvrière internationale.
Dans le domaine linguistique, on nota seulement l'élaboration de la troisième grande loi linguistique des années trente : la loi du 15 juin 1935 portant sur la néerlandisation de la justice. La proposition de loi Marck avait été déposée en juin 1931, mais l'approbation définitive ne fut acquise que sous le premier gouvernement Van Zeeland.
La nouvelle loi stipulait, entre autres, que, dorénavant, toutes les affaires juridiques devaient être traitées en néerlandais dans les provinces flamandes. A partir de septembre 1940, les avocats étaient tenus de plaider en néerlandais devant les tribunaux flamands et seuls pourraient être nommés en Flandre des magistrats porteurs d'un diplôme néerlandais. De même, les tribunaux de Bruxelles devaient compter en leurs rangs un certain nombre de magistrats possédant le néerlandais. Certaines garanties étaient consenties aux francophones: un avocat établi en Wallonie pouvait continuer à plaider en français devant les tribunaux flamands et les accusés ignorant le néerlandais pouvaient demander la procédure en français devant les tribunaux flamands. Cette loi linguistique portait en elle un facteur très positif : toute infraction aux règlements linguistiques entraînait automatiquement l'annulation des décisions prises.
Mais l'annexion, à cette époque, de trois communes flamandes à l'agglomération bruxelloise (Ganshoren, Evere et Berchem-Ste-Agathe) vint créer un nouveau malaise en Flandre.

Parallèlement aux débats parlementaires sur la loi linguistique en matière judiciaire, une campagne intense fut menée dans les milieux flamingants en faveur de l'octroi d'une amnistie générale aux fonctionnaires condamnés ou mis à pied pour cause d'activisme.

Au mois de mars 1935 débuta la dernière phase de l'entre-

deux-guerres. Paul Van Zeeland avait formé un cabinet unissant les trois grands partis et ce dans le seul but d'assainir la situation financière et économique. Van Zeeland était un banquier catholique wallon, professeur à Louvain et n'appartenant à aucun parti. Il jouissait d'un grand prestige scientifique et possédait le talent de convaincre son adversaire par des propos onctueux. Peut-être aurait-il réussi, mais les difficultés n'étaient pas minces...
De jour en jour se précisait la menace de guerre. Hitler avait entamé sa politique d'expansion territoriale. Quasi quotidiennement, sous des titres énormes, les journaux publiaient des nouvelles alarmantes qui accroissaient la tension internationale. C'est en vain que, dans ce climat d'insécurité croissante, Van Zeeland tenta de susciter un sentiment de solidarité nationale. L'opinion publique refusait sa confiance aux politiciens des partis traditionnels présumés en collusion avec les puissances financières. Quelques faillites retentissantes, dans lesquelles étaient impliqués des hommes politiques connus, confirmaient les rapports malsains noués entre le monde parlementaire et les banques.
Ce discrédit jeté sur les milieux dirigeants profitait aux petits groupes de l'opposition.
En octobre 1933, les nationalistes, jusqu'alors dispersés, s'étaient enfin regroupés au sein d'une 'Association nationale flamande', en abrégé, le V.N.V. (Vlaams Nationaal Verbond), coiffé d'un conseil où siégeaient, à côté d'éléments durs et antibelges, des démocrates comme Elias et Romsee. Au leader Staf De Clercq, un instituteur du Brabant flamand, était dévolue la tâche d'orchestrer les diverses tendances, mais son attitude de plus en plus autocratique indisposa les démocrates.
Vers la fin de l'année 1934, à l'initiative d'un groupe de professeurs louvanistes et d'autres intellectuels catholiques flamands, parut un hebdomadaire, *Nieuw Vlaanderen,* qui se fixait pour tâche de rapprocher le V.N.V. et les flamin-

gants du parti catholique.
De tendance résolument catholique, nationaliste de droite et antimarxiste, le nouvel organe ambitionnait de jouer le rôle de phare dans les ténèbres de la situation politique, et s'efforçait de canaliser les forces flamingantes vers un but commun. Son prestige était grand, grâce à la qualité de ses collaborateurs, parmi lesquels le professeur Gaston Eyskens, le futur premier ministre, occupa une place de choix.

L'été de 1935 marqua un moment décisif pour le Mouvement flamand.
Le 11 juillet 1935, *De Standaard* publia un article extrêmement violent, dressant le bilan désastreux du programme minimum de février 1919. Le journal rappelait que le corps des officiers était toujours francophone, que les administrations communales bruxelloises refusaient d'appliquer les lois linguistiques, que les dossiers flamands étaient souvent traités en français dans les administrations de l'Etat et que le gouvernement restait indifférent à la flamandisation des activités scientifiques et académiques.
Ce réquisitoire fut suivi le lendemain, toujours dans le *Standaard,* d'un 'plan de combat pour l'avenir' et d'un plaidoyer en faveur de ' l'indépendance culturelle et de la solidarité nationale de tous les Flamands'.

Ce plan comportait neuf points :

1. la réforme organique de l'administration de l'Etat et la création de deux rôles linguistiques dans les services publics centraux ainsi que dans les services d'intérêt public officiels;

2. la création de directions indépendantes pour les deux réseaux de diffusion radiophonique;

3. la fixation officielle de la frontière linguistique entre la Flandre unilingue et la Walonnie unilingue, et ce „après une

préparation sérieuse et objective qui pourrait être entamée sur-le-champ";

4. „la délimitation officielle de l'agglomération du Grand-Bruxelles, auquel sera appliqué un régime bilingue, fixé par la loi, en ce qui concerne l'administration (les services communaux et provinciaux, de même que les services régionaux et locaux de l'Etat, situés sur le territoire du Grand-Bruxelles), l'enseignement primaire (y compris les écoles gardiennes), l'enseignement moyen et enfin la justice, de même que la création d'un organe de contrôle à compétences spéciales";

5. la restructuration de l'armée sur la base du dualisme ethnologique du pays;

6. le parachèvement de la néerlandisation de l'enseignement supérieur, des académies et autres instituts scientifiques;

7. la création d'un Conseil d'Etat „chargé de veiller à la stricte application de sanctions efficaces et immédiates garantissant le respect des nouveaux statuts administratifs de la Belgique";

8. une politique étrangère indépendante, reniant toutes les alliances et basée sur la neutralité librement consentie de la Belgique;

9. „une organisation économique du pays flamand qui, entièrement basée sur la solidarité de la communauté flamande, viserait au meilleur développement économique et social des différentes corporations issues de la situation réelle; ce bloc des corporations devrait être consulté dès qu'étaient en jeu des décisions d'intérêt social, professionnel et économique concernant le territoire flamand, de façon à rétablir au niveau des associations économiques, la solidarité nationale de tous les Flamands".

D'après le journal, ces différents points (à part le neuvième

qui sera abandonné après une polémique avec la presse socialiste) devaient jeter les bases d'une collaboration flamande concrète, non pas à longue échéance, mais 'avec un démarrage immédiat'.
Ce document remarquable traduisait, en des termes typiques pour l'époque, l'opinion de l'élite flamingante de droite et fixait également le programme des revendications du Mouvement flamand, programme qui serait encore le sien après la seconde guerre mondiale.
Le moment était particulièrement opportun et l'article du *Standaard* suscita un grand retentissement. Le 'Katholieke Vlaamse Landsbond', durant de longues années l'instrument docile de Van Cauwelaert, se mit à virer de bord. Le 19 octobre 1935, le congrès du 'Landsbond' approuva un manifeste où l'on réclamait pour la 'nation' flamande un certain nombre de réformes qui rappelaient étrangement le programme en neuf points du *Standaard*. Le 'Landsbond' exigeait en outre pour la communauté flamande un statut de droit public.
Ce furent les premiers symptômes de scission dans le monde des catholiques flamands modérés qui, jusqu'alors, s'étaient nettement distancés des nationalistes. Pour ces derniers, la création d'un parti indépendant s'avérait indispensable; à leur avis, la question flamande ne pouvait être résolue dans le cadre de l'état unitaire existant et la politique culturelle devait être menée en étroite collaboration avec les Pays-Bas. Par contre, les Flamands du parti catholique affirmèrent leur fidélité à la solidarité chrétienne; ils restèrent attachés à l'état unitaire, et conçurent la politique culturelle dans un cadre purement flamand. Cette conception minimaliste commençait maintenant à s'effriter...

Les élections générales du 24 mai 1936 furent un triomphe pour les nationalistes qui obtinrent 168.000 voix contre 130.000 aux élections précédentes. Les partis nationaux mar-

quèrent un net recul, dû principalement à la percée spectaculaire de Rex, le nouveau mouvement de Léon Degrelle, surtout influent à Bruxelles et en Wallonie, mais qui n'en recueillit pas moins 70.000 voix en pays flamand. La consternation fut grande dans les cercles gouvernementaux. Le fascisme rexiste s'affirmait face à l'impuissance et à l'incapacité du régime parlementaire et à la faiblesse du pouvoir exécutif : durant les trois dernières années précédant la dernière guerre mondiale, pas moins de six gouvernements se succédèrent...
Dans de larges couches de la population se faisait jour un besoin de renouveau, d'organisation plus efficace de l'Etat, d'assainissement des rapports sociaux. Les jeunes générations mettaient en cause les anciennes conceptions sociales et économiques. Des hommes d'Etat expérimentés perdaient de leur crédit. Parmi les citoyens, plus d'un fut conquis par l'ascension rapide et les réalisations spectaculaires des mouvements autoritaires en Allemagne et en Italie. Du côté socialiste, Henri de Man et Paul-Henri Spaak envisagèrent la création d'un 'socialisme national'. En Flandre aussi, on songea à liquider les structures contestées. Dès après les élections, Gaston Eyskens — qui ne fera son entrée à la Chambre que trois ans plus tard — réclamait la scission du parti catholique en une aile flamande et une aile wallonne. L'idée était mûre et, en septembre 1936, fut créé le 'Katholieke Vlaamse Volkspartij' (Parti populaire catholique flamand).

Le 19 juillet 1936, à l'initiative de l'hebdomadaire *Nieuw Vlaanderen,* eut lieu, à Louvain, le congrès de la concentration flamande.
Y prirent la parole : des catholiques tels que G. Eyskens, L. Delwaide, E. De Bruyne et des nationalistes tels que H.J. Elias et P. Beeckman. Le congrès exprima le souhait de former, par-dessus les partis, une puissante concentra-

tion 'en vue de la défense en commun du droit à l'existence du peuple flamand et de l'élaboration d'un ordre chrétien et démocratique en Flandre'. On y prôna la mise en place d'un système social basé sur la solidarité. Il fallait briser l'hégémonie des forces capitalistes et renforcer la présence flamande à Bruxelles. D'autres points du programme avaient trait à la séparation des administrations publiques, à l'amnistie, à la neutralité en politique étrangère et, par voie de conséquence, à la révocation de l'accord militaire secret franco-belge qui avait été conclu au lendemain de la première guerre mondiale.
Le congrès se déroula dans l'ivresse des retrouvailles et de l'union enfin réalisée. Mais après l'euphorie vint le désenchantement. Les socialistes flamands exprimèrent leur méfiance vis-à-vis des solutions socio-économiques proposées; de même les démocrates-chrétiens manifestèrent une prudente réserve. Quant au mouvement ouvrier chrétien, il était allergique au V.N.V.

Au mois d'octobre 1936, les deux vainqueurs des élections, les nationalistes flamands et les rexistes, conclurent un accord fédéral, après des pourparlers particulièrement discrets entre les dirigeants des deux partis. Ceci ne manqua pas de provoquer de l'étonnement et un certain désarroi chez les militants des deux organisations. Si Pol De Mont, le rexiste le plus éminent de Flandre, était réputé ancien combattant flamingant, le public nationaliste n'oubliait pas que Rex recrutait ses partisans flamands dans la bourgeoisie francophone.
A Bruxelles et en Wallonie, l'électeur qui avait voté Rex, voyait avec perplexité son parti s'acoquiner avec d'anciens activistes, des frontistes et des flamingants. Le court-circuit psychologique fut soudain autant que brutal.
Pourquoi donc cet accord entre les deux partis ? Le V.N.V., craignant la concurrence de Rex, espérait cantonner ce

dernier dans les seules régions francophone et bruxelloise. Degrelle, fort de son charme et de son autorité, se proposait d'absorber le V.N.V. petit bourgeois et de former un seul parti fasciste belge. Ce jeu de dupes fut de courte durée. Dès juin 1937, l'accord fut suspendu par les deux signataires pour sombrer peu à peu dans l'oubli.

Auparavant une autre expérience avait été tentée, plus importante celle-là. Le 8 décembre 1936, quelques dirigeants du 'Katholieke Vlaamse Volkspartij' et du 'Vlaams Nationaal Verbond' conclurent un accord de principe en vue de préparer en commun une réforme de l'Etat. A la communauté flamande devait être reconnu un statut de droit public, réalisé et garanti par une représentation politique indépendante. Du côté du K.V.V., les signataires étaient G. Eyskens, A. Verbist et E. De Bruyne; H.J. Elias et H. Borginon signèrent pour les nationalistes tandis que le leader syndicaliste P.W. Segers, présent pourtant, s'abstenait.
Cet accord de principe entièrement dans la ligne du Congrès de la Concentration et conforme aux vœux formulés dans les milieux flamingants, devait rester lettre morte. Les hautes instances du K.V.V. et du V.N.V. se dérobèrent. Du côté des catholiques, le véritable pouvoir était encore aux mains de Van Cauwelaert, de l'Eglise, de l'oligarchie des partis, liée à l'élite unitariste. Eyskens et ses amis étaient trop jeunes et manquaient de l'expérience nécessaire pour imposer leurs vues. Dans l'autre camp, celui des nationalistes, le dégoût des 'catholiques traditionnels' était resté vivace. Le démocrate Borginon y comptait pas mal d'ennemis qui lui reprochaient son belgicisme et sa fidélité au régime parlementaire. Elias, quoiqu'à la direction du parti, ne se trouvait guère soutenu par Staf De Clercq, le grand chef qui, avec ses réactions sentimentales d'ancien frontiste, était bien plus proche de la fraction radicale et antibelge. Bien vite il apparut que, dans le cadre de la colla-

boration projetée, chaque parti voulait se réserver le beau rôle. La direction du K.V.V. espérait attirer les nationalistes catholiques dans le bercail romain; quant au V.N.V., il escomptait bien que les flamingants du K.V.V. passeraient dans les rangs fédéralistes. L'échec de la concertation ne surprit que les naïfs. Il s'était avéré impossible de combler, sur une simple profession de foi nationaliste, le gouffre béant existant depuis 1918 entre les nationalistes et les catholiques traditionnels. Bien vite allaient apparaître dans les polémiques, l'aversion, les suspicions, les affrontements électoraux.

Entre-temps, le nerf linguistique avait à nouveau été mis à vif. Flor Grammens, un ancien instituteur qui bataillait depuis des années pour la flamandisation des communes situées sur la frontière linguistique, excédé par le sabotage systématique des lois linguistiques, passa à l'action en 1932 et connut un succès énorme.

Doux, maigre, droit comme un if, toujours poli, mais têtu comme une mule, Grammens n'était pas l'homme des compromis; muni d'une échelle, d'une brosse et d'un pot de couleur, il s'en alla barbouiller, un peu partout en Flandre, dans les rues comme dans les ministères, dans les tribunaux, dans les maisons communales, dans les commissariats de police et ailleurs, les textes français des inscriptions et communications bilingues. Il se fit arrêter à de multiples reprises, ploya sous une avalanche de procès-verbaux, fut régulièrement condamné et incarcéré, mais son initiative fut applaudie par des milliers d'étudiants et par les gens du peuple; des parlementaires connus lui accordèrent également leur soutien. Non seulement les dirigeants estudiantins Berten Declerck et Renaat Van Elslande (qui devinrent tous deux ministres par après) soutinrent son action, mais encore des dirigeants du parti catholique, comme A.E. De Schrijver et G. Sap. L'opération Grammens réalisa, en l'es-

pace de quelques mois, ce à quoi n'avait pas suffi un demi-siècle de lois linguistiques, c'est-à-dire la néerlandisation de la vie quotidienne en Flandre.
Lorsqu'en 1939 Grammens fut élu député indépendant, la questure de la Chambre prit en toute hâte ses dispositions pour remplacer dans l'hémicycle parlementaire les textes unilingues français par des textes bilingues...

Outre l'agitation à la Ulenspiegel que Grammens avait provoquée et les campagnes d'amnistie en faveur des anciens activistes, la réforme des institutions demeura au centre de toutes les préoccupations tout au long des derniers mois précédant la guerre. Le réflexe flamand était devenu si violent qu'en mars 1937, les fédérations flamandes du parti ouvrier belge jugèrent nécessaire de se rassembler, et ce pour la première fois, en un congrès séparé où ils défendirent l'autonomie culturelle en s'opposant toutefois à une réforme fédérale de l'Etat. La crainte d'une Flandre livrée au cléricalisme était toujours grande !
De son côté le 'Katholieke Vlaamse Landsbond' se déclarait bel et bien en faveur du fédéralisme, et ce malgré l'opposition farouche de Van Cauwelaert dont l'influence allait en s'amenuisant.
Un arrêté royal du 7 février 1938 décida de la création de deux conseils culturels consultatifs, un néerlandais et un français. Pour les Flamands ce n'était que la réalisation d'un point de leur programme depuis longtemps dépassé. Ce qui les intéressait davantage, c'était la scission du Ministère de l'Instruction publique et l'accès aux leviers de commande d'une politique culturelle propre. Le gouvernement qui se rendait compte qu'un début de décentralisation administrative serait inévitable, promit d'étudier la question. Seul le parti libéral se montra réticent. Son opposition au sein du gouvernement contre la nomination de l'ancien activiste, le docteur Adriaan Martens, au titre de membre de

l'Académie flamande de Médecine, provoqua, en janvier 1939, une crise gouvernementale bien vite étouffée par les menaces de guerre internationale, à ce point aiguës que les tensions intérieures furent reléguées à l'arrière-plan. Sous l'impulsion du roi Léopold qui avait fait résilier l'accord militaire franco-belge, la Belgique menait une politique de neutralité prudente, mais difficile. La plupart des francophones ne cachèrent cependant pas leur sympathie pour la France, alors qu'en Flandre l'opinion publique approuvait la politique du roi. Au sein du V.N.V., la direction réfrénait certains témoignages de sympathie par trop voyants envers l'Allemagne.
Les élections générales du 2 avril 1939 furent dominées par les tensions extrêmes, à la suite desquelles les rexistes qui, trois années durant, s'étaient repus de scandales, disparurent de la scène politique.
La politique extérieure modérée des nationalistes, soutenue par une opinion de plus en plus sensibilisée aux problèmes flamands, eut sa récompense et fit passer leurs voix de 168.000 à 185.000.
Les jours de paix étaient comptés. En avril encore l'autonomie culturelle fut inscrite à l'ordre du jour des débats de la Chambre. L'opposition libérale ne désarma pas et provoqua la chute du gouvernement dont le roi refusa d'accepter la démission. Tout portait à croire que la scission du Ministère de l'Instruction publique allait être réalisée dans un proche avenir quand, le 10 mai, l'armée allemande attaqua.
Ce jour-là débuta la dernière phase du flamingantisme tragique.

L'entre-deux-guerres forme dans l'histoire de l'émancipation flamande une période bien délimitée, caractérisée principalement par l'affirmation radicale d'une prise de conscience nationale. Cette évolution est due principalement à l'acti-

visme d'une part, luttant pour l'autonomie de la Flandre, et au Mouvement frontiste d'autre part qui, dans des circonstances dramatiques, insuffla aux soldats le sens et la signification de leur condition flamande.
Durant les premières années qui suivirent la guerre, les flamingants modérés s'inspirèrent tout un temps encore des thèses qui étaient déjà les leurs dans le proche avant-guerre. Ce fut surtout au sein du parti catholique que leur voix s'éleva pour réclamer l'amélioration des lois linguistiques et la néerlandisation de l'université de Gand. Et, de fait, c'étaient des problèmes importants. Le mérite considérable d'avoir pu, contre vents et marées, faire voter les lois linguistiques des années trente et donner à la Flandre sa première université néerlandaise, revient à ces éléments modérés. Petit à petit cependant, ils se rendirent compte que l'existence de la communauté flamande dépendait de bien autre chose que d'une simple réglementation culturelle. Les nationalistes qui, eux aussi, voyaient plus loin et défendaient leur position dans des études et des écrits polémiques, ont prétendu parfois être les seuls défenseurs de l'émancipation politique et avoir été abandonnés par les Flamands des autres partis. Ce jugement est inexact et injuste car, durant les dernières années qui précédèrent la deuxième guerre mondiale, le groupe catholique flamand de la Chambre était gagné, lui aussi, aux nouvelles tendances et s'était familiarisé avec la terminologie nationaliste, mais leurs conceptions différaient sur le choix des moyens propres à donner à la Flandre une plus grande autonomie. Les nationalistes exigeaient avec persistance une réforme radicale de l'Etat, réforme plutôt théorique, où le fédéralisme ne constituait qu'une solution minimale. Dans le parti catholique par contre, on envisageait des formules plus simples et plus réalistes, telles que la décentralisation administrative et la scission de certaines administrations publiques. Cette prudence lui était inspirée par une longue expérience des

oppositions qu'il prévoyait de nouveau violentes et étendues. Les nationalistes, dans l'opposition, n'étaient pas confrontés, eux, aux impératifs immédiats de la réalisation concrète. Ils pouvaient adopter des positions dures, parce qu'ils savaient qu'aucune responsabilité gouvernementale ne les pousserait à un compromis quelconque. C'est ainsi qu'il leur était facile de donner l'image de l'intransigeance et de l'orthodoxie. Ils étaient d'ailleurs minés, quasi en permanence, par des discordes internes d'ordre doctrinaire ou tactique, souvent par de pures discussions académiques qui n'influençaient en rien la politique du gouvernement et de l'Etat. Par contre l'engagement des modérés avait son impact sur le développement de la conjoncture politique. Le groupe catholique flamand de la Chambre qui, entre les deux guerres, constituait la moelle épinière de l'action flamande au Parlement, se heurtait néanmoins perpétuellement au mauvais vouloir des libéraux et de maints francophones du parti catholique. Il avait à compter en outre, avec l'indifférence d'un grand nombre de parlementaires flamands, l'hostilité ouverte ou déguisée de l'épiscopat catholique, la surenchère des nationalistes dont la concurrence était électoralement redoutable.
Malgré ces handicaps, le bilan établi par les modérés au début de 1940 n'était pas tellement défavorable. Ils avaient obtenu gain de cause à Gand, une néerlandisation plus poussée en matière d'administration, d'enseignement et de justice. Même à l'armée, on avait commencé à supprimer l'unilinguisme. L'ouverture des hostilités seule rendit impossible la scission des services de l'enseignement et de la culture, acquise en fait. De plus, plusieurs jeunes et brillants dirigeants du parti catholique flamand étaient gagnés à l'idée de l'autonomie régionale. Dans leurs rangs, le vieux leader Van Cauwelaert n'incarnait plus qu'un minimalisme depuis longtemps dépassé.
Cette évolution fut-elle uniquement, comme on l'a prétendu,

un phénomène petit bourgeois et étranger au parti ouvrier ? Souvent, il est vrai, les efforts n'avaient porté que sur le redressement de situations linguistiques sclérosées; de plus, le verbalisme de certaines idéologies n'avait aucune prise sur le monde ouvrier. Cependant, dans le Mouvement flamand de l'entre-deux-guerres, l'attention s'accrut pour des préoccupations sociales de plus en plus nombreuses. Les collusions entre les puissances économiques et les forces francophiles étaient manifestes. Il existait bel et bien un réflexe flamand dans le Mouvement Ouvrier Chrétien, surtout chez les jeunes. Il est donc inexact d'affirmer que le Mouvement flamand s'inscrivait exclusivement dans un contexte bourgeois. Mais comme ce mouvement était surtout d'inspiration chrétienne, on comprend facilement pourquoi nombre de libres penseurs ainsi que les socialistes ne pouvaient y adhérer. Le caractère religieux du pèlerinage de l'Yser et la devise 'Tout pour la Flandre - La Flandre au Christ' (A.V.V. - V.V.K.), irritaient les non-croyants. Il y eut bien le congrès des socialistes flamands, mais cette hirondelle ne fit pas le printemps. Il y eut également Henri de Man — très ouvert à la cause flamande — mais le Parti Ouvrier Belge s'inspirait quand même principalement du socialisme français de la troisième république et se teintait fortement d'anticléricalisme. Le corporatisme, défendu sur le plan économique par de nombreux flamingants catholiques, accéléra encore le distancement des socialistes.
Le mouvement d'émancipation sociale des travailleurs et les affirmations communautaires avaient leurs points de convergence et de divergence, mais l'absence d'une collaboration fructueuse constitua un élément de faiblesse structurelle dans la lutte d'émancipation.

L'erreur de la collaboration

L'incursion éclair des armées allemandes qui, durant dix-huit jours, avaient déferlé sur le territoire avec la force d'un typhon, réduisit non seulement à néant la résistance militaire du pays, mais balaya du même coup le système parlementaire. Les politiciens et les ministres, discrédités déjà par la crise latente du régime, prirent la fuite. Durant quatre longues années, ils disparurent de la scène politique après avoir, dans un dernier accès de désarroi, accusé le roi Léopold de 'trahison'. Pourtant cette 'trahison', c'est-à-dire la capitulation des divisions belges réduites à merci, fut approuvée par l'opinion publique unanime. Dès le 28 mai, la population put respirer, d'autant plus que les soldats allemands ne ressemblaient en rien aux brutes incendiaires de 1914; c'étaient des gars disciplinés et courtois, qui facilitèrent le retour des réfugiés. Les autorités allemandes se hâtèrent d'installer un gouvernement militaire à la tête duquel se trouvait le général Von Falkenhausen; cet aristocrate hostile au nazisme allait, et ce jusqu'à sa destitution en juillet 1944, réfréner les brutalités des SS que bien souvent il condamnait.

Ils furent nombreux en Belgique, ceux qui, au début des hostilités, croyaient en la victoire de l'Allemagne. On ne parla plus du gouvernement en exil, sinon en des termes méprisants. Sans croire à une victoire allemande totale, on escomptait, après une paix de compromis, un prélude à de grands changements. En général, on souhaitait l'établissement par le roi d'un régime fort où l'influence des partis se trouverait réduite.

Des membres éminents de la noblesse et de la bourgeoisie francophones, ainsi que le président du Parti Ouvrier Belge, Henri de Man, défendaient ce point de vue dans leurs écrits et leurs initiatives, poussant la population à reprendre le travail, sous la conduite de Léopold III, pour élaborer avec l'Allemagne une Europe nouvelle. Ces velléités de 'collaboration' ne rencontrèrent que l'approbation mitigée des Allemands, qui ne les encouragèrent qu'en par-

tie. Il s'avéra très vite qu'Hitler ne désirait pas encore prendre de décision politique, ni surtout exposer officiellement ses vues sur le statut futur de la Belgique. Le Führer semblait contrarié par la présence du roi Léopold, frère de la princesse héritière d'Italie, pays allié, car, de Rome, la princesse veillait sur les intérêts de la dynastie belge. Le roi incarnait la volonté des Belges de ne pas se laisser écarteler, ni annexer à l'Allemagne. Afin de gagner du temps, Hitler décréta la mise en veilleuse de la vie politique belge. Aucun nouveau gouvernement ne serait formé et il ne serait pas non plus répondu aux timides avances des ministres exilés qui, depuis l'armistice signé par la France, souhaitaient, en désespoir de cause, la réconciliation avec le roi et leur retour à Bruxelles. Hitler avait bien quelque peu dévoilé ses intentions lorsqu'il donna l'ordre de libérer les prisonniers de guerre flamands, alors qu'il retenait les wallons dans les camps.
De même, le gouverneur militaire allemand fut chargé d'accéder au désir des milieux dirigeants belges proposant d'assurer le bon fonctionnement de l'administration, de la justice et de la vie économique, afin d'éviter que les Allemands eux-mêmes ne dirigent le pays. Parallèlement à cette collaboration économico-administrative que patronnait l'élite traditionnelle, s'installa, malgré la neutralisation de la vie politique, une collaboration politique marginale. Cette collaboration ne devait en rien influencer les décisions de l'occupant, car Hitler agissait en dictateur, mais elle allait peser sur le cours des relations à l'intérieur du pays.
Léon Degrelle, le leader malheureux de Rex, vit, dans l' 'ordre nouveau' allemand, une planche de salut pour son mouvement; aussi n'hésita-t-il pas à réformer le parti rexiste pour l'incorporer dans le système autoritaire du national-socialisme. Son idéologie belgo-bourguignonne hâtivement élaborée, adaptée aux théories et aux projets du Reich, proclamant l'appartenance des Wallons à l'ethnie germa-

nique, ne recueillit pourtant, ni l'estime, ni la confiance des Allemands. Pour l'opinion publique belge, Degrelle était un aventurier et un condottiere qu'il fallait abandonner à son sort. Dans les provinces flamandes, la collaboration politique trouva à s'enraciner plus profondément.
Les événements de mai avaient fortement ébranlé les milieux nationalistes. Sur ordre des instances judiciaires, plusieurs personnalités éminentes avaient été arrêtées et évacuées en France par 'trains-fantômes'. Parmi elles se trouvaient le vieux Dr. Borms, le député V.N.V., R. Tollenaere, le Dr. A. Martens, de même que le leader du Verdinaso, Van Severen. Ce dernier allait, par erreur, être exécuté en cours de route par des gardiens français. Les autres rentrèrent chez eux, en toute sécurité, après des semaines de privations, mais le drame les avait profondément marqués et ravivait en eux la vieille rancune antibelge. Les milieux flamingants avaient lancé le mot d'ordre condamnant un second activisme, mais devant certains symptômes de collaboration de l'establishment belge, devant la collaboration économique organisée par Alexandre Galopin, le dirigeant de la Société Générale, certains leaders nationalistes se prirent à douter de l'efficacité d'un attentisme purement passif. Au V.N.V., Staf De Clercq aussi était convaincu qu'un nouvel ordre européen allait voir le jour et que la Flandre devait entamer des pourparlers avec le vainqueur allemand au sujet de nouvelles structures politiques.
Le vide laissé par les partis politiques, la disparition ou la dissolution des formations traditionnelles, la fuite à Londres ou aux Etats-Unis de bon nombre de dirigeants, incita le chef du V.N.V., dès juin 1940, à informer les autorités allemandes que son parti se ralliait à l'ordre nouveau et qu'il souhaitait un dialogue avec le Reich. Son parti, ajoutait-il, préconisait la création d'un état thiois englobant tous les néerlandophones, de même que Bruxelles et la Flandre française. Les Allemands en prirent acte, mais ils

s'intéressaient davantage à stimuler la collaboration des pouvoirs belges établis et plus particulièrement celui des secrétaires généraux dont les décisions avaient force de loi et qui disposaient évidemment de pouvoirs et d'un prestige plus étendus que le petit groupe des politiciens nationalistes. Quelques membres du collège, personae non gratae auprès de l'occupant, furent éliminés et, le 12 août 1940, le département des affaires économiques fut confié au publiciste flamand bien connu, Victor Leemans. Cette nomination eut, pour la cause nationaliste, une importance bien plus considérable que tous les témoignages de sympathie d'un Staf De Clercq. Une semaine après la nomination de Leemans, un autre flamingant éminent, le démocrate Gerard Romsee, député V.N.V., fut nommé gouverneur de la province du Limbourg. A partir du 1er avril 1941, Romsee, élevé au rang de secrétaire général de l'Intérieur, s'affirma le personnage le plus en vue de l'administration. Grâce à son entremise, un nombre croissant de membres du V.N.V. allaient occuper des fonctions dirigeantes dans la vie publique. (En 1943, 53 p.c. de tous les bourgmestres flamands étaient membres du parti).
Parallèlement à cette infiltration systématique, mais relativement discrète, d'éléments flamingants dans la machine de l'Etat, s'affirmaient des velléités plus spectaculaires et plus provocatrices d'intégration à la politique allemande et à l'idéologie national-socialiste.
Tandis que Borginon — plus que jamais anglophile — dénonçait, avec une méfiance de plus en plus grande, les contacts pro-allemands du V.N.V., le groupe radical antibelge, lui, évoluait au sein même de la direction du parti, vers l'engagement inconditionnel. Son but était d'obtenir des Allemands la reconnaissance officielle du V.N.V. comme seul porte-parole autorisé de la communauté flamande. En échange, le V.N.V. offrait son allégeance loyale à l'Allemagne et, comme preuve de sa bonne volonté, déci-

dait de s'adapter aux structures de l'ordre nouveau. C'est ainsi qu'en août 1940, à l'initiative de R. Tollenaere, député autoritaire et antidémocrate, fut créée une milice, la brigade noire, dont l'uniforme rappelait celui de la police SS allemande, d'où l'épithète de 'noirs' donnée communément aux collaborateurs. Cette initiative n'empêcha pas les Allemands de mettre sur pied, en septembre 1940, une SS-Flandre; instaurant par là une politique de surenchère, qui allait empoisonner l'atmosphère parmi les collaborateurs durant toute la durée de l'occupation. Du côté allemand, seul un petit groupe d'officiers et de hauts fonctionnaires collaboraient avec le V.N.V.; de nombreux chefs militaires SS s'étaient rangés derrière la 'Duits-Vlaamse Arbeidsgemeenschap' (DeVlag) du professeur flamand J. Vandewiele. (Cette Communauté de Travail germano-flamande avait été créée en 1936 sous forme d'organisation culturelle, mais à partir de 1941, elle se lança dans la politique, une politique axée sur l'annexion de la Flandre au Reich germanique).

Le 10 novembre 1940, Staf De Clercq, au cours d'une allocution qui fit sensation, professa sa foi en Hitler : „La Belgique était notre ennemie. L'Allemagne, elle, n'est pas notre ennemie. Nous avons confiance dans le Führer. Nous ne doutons pas que tout ce qu'il fera sera bien fait". En décembre 1940, la direction du V.N.V. fut forcée, sous la pression des Allemands, d'abandonner sa doctrine thioise ou grand-néerlandaise pour s'en tenir dorénavant aux seuls intérêts de la Flandre.
Le 10 mai 1941, le V.N.V., Rex-Vlaanderen et les éléments pro-allemands du Verdinaso, se groupèrent en un mouvement unique, le 'Vlaams Nationaal Verbond', auquel pourtant la 'DeVlag' n'adhéra pas.
L'entrée en guerre de l'Union Soviétique, le 22 juin, marqua un tournant fatal dans la situation politique en Belgique. La collaboration avec l'Allemagne changea de visage. Il ne

s'agissait plus d'une solution purement pragmatique ou d'un mal nécessaire. L'Allemagne exigeait dorénavant une participation passionnée et inconditionnelle à la guerre contre le bolchévisme, à une Croisade pour le sauvetage de l'Europe et de la civilisation chrétienne. C'était du moins ce que prêchaient la propagande national-socialiste et, avec elle, les partis belges d'ordre nouveau. La collaboration se muait en un phénomène aux allures idéologiques.

Le jour de l'invasion allemande, Staf De Clercq tint, à Bruxelles, un discours dans lequel il proclamait que 'la Flandre germanique ne peut être absente dans la lutte finale'; à son avis, il s'imposait ' d'œuvrer à la lumière de notre destinée germanique commune, dans la fidélité aux idéaux germaniques et avec tous les moyens dont nous disposons, à la victoire des armes allemandes'. De Clercq lança un appel à la jeunesse pour qu'elle adhère aux Waffen-SS afin de lutter 'contre la juiverie, la franc-maçonnerie, la ploutocratie et le bolchévisme, alliés de l'Angleterre' et il invita son public à acclamer Hitler.

Les conseillers modérés du leader V.N.V. étaient atterrés et désapprouvèrent en petit comité cet extrémisme qui, pourtant, enflammait les simples militants toujours confiants en la victoire de l'Allemagne, dont l'avance dans les steppes russes les confrimait dans leur foi.

Le 2 août 1941 fut créé la légion flamande (Legioen Vlaanderen) et des militants du V.N.V. et de la 'DeVlag' entreprirent le recrutement pour le front de l'Est.

Quelques milliers de jeunes flamands, bien souvent aveuglés par la propagande anticommuniste du clergé catholique d'avant-guerre, partirent pour les camps d'instruction allemands, d'où on les envoyait au front. Les légionnaires y furent soumis à un entraînement très dur, qui avait pour but de leur inculquer les principes du national-socialisme et d'une austère germanophilie. Quiconque prétendait s'affimer flamand et catholique était soumis à des vexations

de tout ordre et relégué à l'arrière-plan par les dirigeants SS. Evidemment, l'opinion publique en Belgique n'était pas informée de ces faits qui, pourtant, étaient bien connus au quartier général du V.N.V.; grâce surtout aux informations de Tollenaere qui avait adhéré lui aussi à la légion (et qui, promu officier, devait trouver la mort au front en janvier 1942). La confiance que Staf De Clercq avait eue dans les Allemands commença à faiblir sérieusement. Borms et le prêtre-écrivain Cyriel Verschaeve continuaient à prêcher la grande croisade de la race germanique avec un désespoir aveugle qui faisait le jeu de la 'DeVlag', tandis qu'à la direction du V.N.V., le malaise renforçait l'influence du 'club des juristes' qui, rangés autour de l'historien H.J. Elias, gardaient la tête froide. Ils avaient, en effet, toutes les raisons de craindre qu'en cas de victoire allemande, la Belgique divisée en un Reichsgau flamand et un Reichsgau wallon, serait annexée au grand empire allemand.
Staf De Clercq mourut le 22 octobre 1942. Elias prit la tête du V.N.V. Les dirigeants SS de Bruxelles en avertirent Berlin en ces termes: „il est le pire ennemi de l'Allemagne". En effet, Elias s'attela à freiner la politique de collaboration, tout en évitant une rupture ouverte avec l'occupant, par crainte de représailles contre ses milliers de partisans qui assumaient des responsabilités dans les administrations de l'Etat, des provinces et des communes et qui déjà s'y trouvaient en posture ingrate entre la surveillance méfiante des Allemands et la réprobation patriotique de leurs propres concitoyens. Elias craignait en outre la prise en otages des soldats de la légion flamande et la mainmise de la 'DeVlag' sur la Flandre.
Tenu à la discrétion envers le public, il s'efforça néanmoins de tempérer, partout où c'était possible, les activités pro-allemandes du V.N.V. Aux flamingants modérés qui suivaient de près l'évolution de V.N.V., cette politique parut

encore trop timorée. Aussi le 3 avril 1943, J. Callewaert, le père dominicain bien connu, fit-il parvenir à Elias une lettre où il conjurait celui-ci de faire machine arrière, de rompre ouvertement avec la politique de collaboration et d'affronter, au besoin, les prisons allemandes. Elias répondit évasivement, non sans confirmer sa fidélité à son idéal : le salut du peuple flamand, partie intégrante d'une grande nation néerlandaise. L'ancienne chimère thioise, disparue de la scène depuis décembre 1940, reprenait vigueur...

Petit à petit, le V.N.V. allait se risquer cependant à des confrontations plus audacieuses. Dans une lettre du 7 mai 1943, Elias protesta auprès du gouvernement militaire contre la germanisation de la légion flamande. Sa protestation étant restée lettre morte, il arrêta net la propagande antibolchévique; de plus, il s'opposa avec vigueur aux activités pronazies de la 'DeVlag' qui, avec sa milice et ses publications, prêchait l'incorporation de la Flandre dans un empire germanique. En octobre 1943, Elias déclara inconciliable la double appartenance au V.N.V. et à la 'DeVlag'.

La rupture était à présent consommée entre les deux groupes de collaborateurs. Les nazis flamands en profitèrent pour fonder, avec le puissant appui des dirigeants SS de Berlin, diverses associations qui toutes poursuivaient un but annexionniste. De leur côté, les officiels allemands ne cachaient plus leur intention de faire rentrer la Flandre 'heim ins Reich'*.

La polarisation des oppositions alla de pair avec l'agressivité accrue des Allemands aussi bien que des civils. Les mois d'été de 1940 étaient oubliés. Les hostilités traînaient en longueur, les vivres se faisaient de plus en plus rares, le travail obligatoire en Allemagne, la conduite de plus en plus provocante de certains collaborateurs et la fortune

* C'est-à-dire, dans le bercail du Reich, la mère patrie (N.D.T.).

de la guerre se détournant des Allemands, tout cela amena une profonde modification dans l'opinion publique belge. L'amertume de la population était un terrain propice à l'éclosion de la haine et de la violence. La Résistance et les milices SS de la 'DeVlag' firent régner la terreur. Entre le 1er janvier et le 1er mars 1944, 740 crimes furent commis. 'Noirs' et 'blancs', collaborateurs et maquisards, s'affrontèrent dans les rues et les champs de Flandre et de Wallonie. Les bourgmestres se trouvaient confrontés à une tâche de plus en plus ingrate. En janvier 1944, après un entretien stérile avec le chef SS Himmler, Elias envisagea sérieusement la dissolution du V.N.V. mais, laissant ainsi le champ libre à la 'DeVlag' partout en Flandre, il recula. En juillet 1944, Hitler décida de remplacer le gouvernement militaire par un gouvernement civil. C'était le prologue à l'annexion définitive. Au préalable, le roi Léopold avait été emmené en captivité en Allemagne.

La direction du V.N.V. comprit que tout était perdu. La libération du territoire belge n'était plus qu'une question de semaines. Afin d'échapper à la vengeance populaire ainsi qu'aux balles de la Résistance triomphante, les grands collaborateurs franchirent le Rhin avec les troupes allemandes en fuite. Elias dut encore assister à la nomination, par le gouvernement nazi, de deux gauleiters, Vandewiele et Degrelle, le premier pour la Flandre, le second pour la Wallonie.

Le drame s'acheva en une farce démente.

La fin de la guerre vit la dislocation du parti nationaliste flamand. Les chefs de file qui n'avaient pas pris la fuite, furent arrêtés. Borms, âgé et très malade, fut condamné à mort et exécuté. Le député catholique L. Vindevogel, bourgmestre de Renaix, de même que Th. Brouns, président provincial du V.N.V. du Limbourg, moururent eux aussi au poteau d'exécution, victimes d'une sentence hautement discutable. Elias et Vandewiele furent arrêtés en

Allemagne et également condamnés à mort; ils échappèrent cependant au peloton d'exécution et furent remis en liberté après une longue détention. Romsee fut incarcéré durant quelques années. Victor Leemans, emprisonné à son tour, fut relâché assez rapidement. Verschaeve partit mourir en Autriche. Degrelle s'enfuit en Espagne. Et tandis que les puissants collaborateurs économiques échappaient à la répression, le menu fretin fut pêché à la pelle et cuit à point...

Une analyse de la lente prise de conscience au sein du Mouvement flamand fait apparaître la politique de collaboration comme un accident de parcours. Après la guerre, les nationalistes flamands furent victimes d'une persécution brutale et abusive. La répression et l'épuration administratives furent principalement d'ispiration gauchiste. La résistance communiste surtout a joué dans ce domaine un rôle actif autant qu'inhumain. De même, le parti socialiste et certains politiciens, tant catholiques que libéraux, ont leur responsabilité dans l'affaire. Un régime de terreur s'installa dès les premières semaines. La rue tyrannisa les services d'ordre et la magistrature. Au moment où s'atténuait quelque peu la flambée de haine et de violence, rendant la Belgique à nouveau consciente des valeurs de droit et de justice, la découverte des horreurs commises dans les camps de concentration nazis raviva l'émotion de l'opinion publique, entraînant une excessive rigueur dans la condamnation des collaborateurs.
Dans un tel climat, il était extrêmement difficile d'analyser sans préjugés le phénomène de la collaboration, ce qui interdit tout un temps de chercher une justification à l'attitude des 'inciviques'. Les plaidoyers de clémence et d'atténuation des peines trop sévères furent taxés au Parlement de haute trahison, principalement, il est vrai, par la gauche. Mais comme cette gauche était essentiellement composée de Wallons, les Flamands se trouvaient tout

particulièrement visés, de sorte que la collaboration apparut — à tort — comme un phénomène purement flamand. En guise de réaction, des protestations violentes s'élevèrent en Flandre, au point qu'on y était tenté de défendre l'indéfendable. Ce n'est que très lentement que la situation s'éclaircit : trente ans après la guerre, le Parlement refusait toujours le vote d'une loi d'amnistie; mais il devenait possible d'évoquer le drame avec plus de sérénité...

Toute enquête sur les motifs et les comportements des collaborateurs doit, au départ, s'inspirer d'une distinction essentielle : la collaboration se présente sous différents aspects.

Il y eut d'abord ceux qui acceptèrent un poste dirigeant dans la vie publique, afin d'empêcher les Allemands de prendre en main l'administration du pays. C'est à cette catégorie qu'appartenaient les secrétaires généraux Romsee et Leemans, le chef de la gendarmerie, le colonel Van Coppenolle, les commissaires du gouvernement J. Custers et H. Borginon responsables, le premier, de la reconstruction, et le second, de la création des grandes agglomérations. Au bas de l'échelle se trouvaient les centaines de bourgmestres qui, bien souvent, s'acquittèrent de leur tâche en des circonstances difficiles. Nombreux furent ceux qui, au sein du groupe, n'avaient en vue que les intérêts du pays et du peuple. Ils furent néanmoins poursuivis et condamnés injustement. Qu'un Flamand non nationaliste comme le secrétaire général à l'agriculture, E. De Winter, ait eu des ennuis, prouve à suffisance combien une certaine 'justice' était enragée et de quelle façon un homme particulièrement méritant était sacrifié à l'agitation gauchiste.

Il y avait, d'autre part, le groupe des intellectuels et des artistes qui, déjà bien avant la guerre, entretenaient des relations culturelles avec l'Allemagne, s'étaient liés d'amitié avec des confrères allemands et poursuivaient, durant la guerre, leurs échanges culturels sans se rendre compte, en général, que la propagande national-socialiste utilisait à ses fins propres leurs contacts avec des hommes de lettres allemands en uniforme. Un Félix Timmermans, un Ernest Claes et même un Stijn Streuvels, comme tant d'autres, complètement étrangers à la politique et issus de milieux académiques et artistiques, appartenaient à cette catégorie. Eux aussi furent inquiétés à la libération.

Il ne sera pas question ici des collaborateurs économiques, parce qu'ils n'ont contribué en rien, ni de loin, ni de près, à la prise de conscience politique de la communauté flamande.

Par contre, le groupe de politiciens du parti nationaliste flamand occupe la première place dans le rang des collaborateurs, puisque ce furent eux qui, dans une large mesure, imprimèrent son caractère à la collaboration et déterminèrent le cours de son évolution. Ce groupe se déclara assez vite prêt à se ranger du côté des vainqueurs allemands et à s'adapter à l'idéologie nationale-socialiste.

Pour sa défense, ce groupe allégua qu'en été 1940, il se manifestait chez d'autres Belges, francophones éminents et jusque dans l'entourage du roi, une tendance collaborationniste. Il est un fait qu'au cours des mois de confusion qui suivirent la capitulation, alors que le gouvernement belge, désemparé, errait à l'aventure, quelque part en France, et tandis que le ministre P.H. Spaak tentait en vain de contacter Berlin, on songeait à adopter une 'politique de présence' qui permettrait au gouvernement belge de gouverner à nouveau le pays... sous contrôle allemand. Cette politique était hautement opportuniste, et bien vite les milieux dirigeants belges préférèrent attendre le déroulement des opérations militaires.

Telle fut aussi la politique suivie par les leaders syndicaux qui, tentant de réformer leur organisation sur un mode nouveau, avaient créé l'Union des Travailleurs Manuels et Intellectuels (U.T.M.I.), mais qui, après quelques mois,

jugeant l'expérience trop dangereuse, retournèrent à leur attentisme.
Le seul homme d'état belge à prôner ouvertement la collaboration fut le président du parti socialiste, Henri de Man; il persévéra jusqu'au début de 1941 avant de rompre tout contact avec les Allemands et de se retirer en ermite dépité, quelque part dans les Alpes françaises.
L'attitude des nationalistes flamands fut complètement différente; elle se caractérisa avant tout par un manque de sens critique. Entre les deux guerres, les nationalistes flamands dénoncèrent avec un extrême violence la politique menée par les flamingants au sein des partis nationaux et tenaient pour trahison envers le peuple tout compromis approuvé par Van Cauwelaert. Cela ne les empêcha pas, durant la guerre, de faire des concessions très dangereuses au pouvoir occupant dont ils n'étaient pas sans connaître l'agressivité, ni la duplicité. Les dirigeants du V.N.V. ne manquaient pourtant pas de formation politique comme ce fut le cas, précédemment, pour les activistes; ils n'étaient pas non plus des artistes naïfs. Ils avaient été formés au sein du régime politique belge. Malgré cela, ils ne réussirent même pas à faire triompher leur vieux rêve : la fédéralisation de l'Etat et le rapprochement politique avec les Pays-Bas, dans un pays pourtant en attente de nouvelles formules, à cause du discrédit profond dans lequel était tombé le système parlementaire. A Berlin, on faisait la sourde oreille, parce qu'on était opposé à tout fédéralisme comme à toute union belgo-néerlandaise. Berlin ne cherchait qu'à éliminer la Belgique et à faire de la Flandre et de la Wallonie des satellites. Staf De Clercq se prêta à cette manœuvre, exigea de ses partisans une confiance absolue en Hitler et transforma son parti en un mouvement national-socialiste.
Lorsque le V.N.V. comprit son erreur, il n'eut, ni la force, ni le courage de virer de bord.
La faute capitale des nationalistes flamands ne fut pas

d'avoir compromis le Mouvement flamand déjà solidement enraciné, mais d'avoir fait dévier de son but la tendance radicale réclamant l'autonomie de la Flandre à l'intérieur de la Belgique, et d'avoir compromis son évolution vers une meilleure entente avec les Pays-Bas. Ce fut une faute encore de s'être mis au service d'une politique qui rendait la Flandre dépendante d'un Reich qui l'aurait germanisée à plus ou moins brève échéance. L'idéalisme foncier du Mouvement flamand fut détourné de son but au profit d'un gouvernement étranger et d'une doctrine contraires aux intérêts et au sentiment culturel et démocratique des Flamands. La littérature nazie flamande, prônant une fidélité inconditionnelle au Führer, ainsi qu'à sa politique de germanisation, était tout aussi malencontreuse que la propagande antiflamande de la bourgeoisie francophone. Ce fut, dans les deux cas, une tentative de dénationalisation de la communauté néerlandaise de Belgique.
Les nationalistes flamands, soi-disant défenseurs de l'Europe contre le communisme, n'étaient nullement des Européens avant la lettre, mais les instruments d'une politique visant à inféoder l'Europe au grand empire allemand et à conférer aux états limitrophes le statut de 'Reichsgau'. Le 'gau' flamand y aurait connu un état de vassalité pire que celui qui fut le sien, au XIe siècle, avant qu'il ne s'arrache à la tutelle de la France.
Tant d'aberration s'explique par la médiocrité intellectuelle d'une partie des dirigeants du V.N.V., vite séduite par des événements passagers et conjoncturels, telle la victoire apparente du nazisme, et entraînée par des ambitions mal définies et toutes sentimentales qui, depuis longtemps, contaminaient leur imagination politique.
Le drame du V.N.V., ce fut encore le manque d'audace des autres dirigeants incapables de renverser la vapeur avant qu'il ne fût trop tard. Une fois de plus, le nationalisme flamand payait un lourd tribut à ses divisions traditionnelles.

Le désaccord surgi entre le démocrate Borginon et le national-socialiste Tollenaere était un dernier relent de la discorde qui, vingt années durant, avait toujours affaibli et désemparé les flamingants radicaux. Ces dissensions internes ne profitaient qu'aux Allemands, assurés de la fidélité inconditionnelle du chef de la 'DeVlag', Vandewiele, qui, à ses débuts, avait entraîné le V.N.V. dans une politique de surenchère; ils disposaient en outre des soldats flamands envoyés au front de l'Est, eux-mêmes divisés en pro et antinazis, et qui leur servaient d'otages. Les nationalistes ne trouvèrent jamais une parade à opposer au machiavélisme de Berlin qui, en fait, méprisait les collaborateurs... En face de ces desperados, il s'était constitué de petits groupes de flamingants restés fidèles aux idées traditionnelles du nationalisme flamand. Ils formèrent des noyaux 'thiois' d'opposition qui penchaient pour une politique pannéerlandaise et qui, pour l'après-guerre, préparaient les chances du flamingantisme, soumettant ses problèmes à un examen sévère. Les Allemands n'ignoraient pas l'existence de ces noyaux de résistance qu'il ne firent rien pour réduire, gardant par là un moyen de pression accru sur le V.N.V. et arrêtant toute velléité de rapprochement pannéerlandais. Quant aux personnalités flamandes non nationalistes, la collaboration politique n'eut quasi pas de prise sur elles. Aucun des dirigeants du Parti catholique flamand ne fit un pas en direction des Allemands. Sap était mort quelques jours avant l'invasion allemande; Van Cauwelaert et Huysmans s'étaient enfuis à l'étranger; bourgmestre d'Anvers, Léon Delwaide défendait les intérêts de son agglomération sans s'occuper, ni d'idéologie, ni de collaboration; Eyskens poursuivait ses études et son professorat à Louvain.
Dans le silence de la non-activité politique, les idées mûrissaient, qui devraient rénover la Belgique libérée.

chapitre cinq

le chemin de l'autonomie (1944-1972)

La libération militaire du territoire, en septembre 1944, n'entraîna aucune complication majeure. Par contre, le rétablissement de l'ordre judiciaire et de l'ordre politique en général ne fut pas une sinécure. Tout au long des premières semaines, on se vit menacé d'une carence d'autorité. Après le débarquement de Normandie, le roi avait été emmené en Allemagne. Le gouvernement, revenu de Londres, avait perdu tout contact avec la réalité belge et, ballotté entre la multitude de conseils divergents qu'on lui prodiguait, tergiversa. L'administration de l'état tournait à faible régime, car la plupart des secrétaires généraux avaient été arrêtés ou démis de leurs fonctions. Un peu partout, des gens terrés attendaient avec angoisse le déroulement des événements.
Aussi des éléments gauchistes de la Résistance armée tentèrent-ils de profiter de ce climat d'incertitude et, en l'absence d'un pouvoir exécutif fort, de s'emparer du contrôle de l'Etat. Si l'on n'en vint pas à un putsch communiste, c'est que les armées anglo-saxonnes veillaient. Mais partout où c'était possible, la Résistance, noyautée par les rouges, tentait de bloquer l'appareil administratif et judiciaire. Cette résistance, qui s'appuyait surtout sur les provinces wallonnes et sur la capitale, n'avait rien à craindre de la part de la bourgeoisie, dans bien des cas astreinte à la passivité par sa collaboration économique ou qui, dans

l'ivresse de la libération, fraternisait sans scrupules avec les ennemis du capitalisme. La Résistance n'avait qu'un seul adversaire de taille : la Flandre catholique. C'était elle qu'il fallait neutraliser et paralyser.
Dans ce but, une répression impitoyable se déchaîna contre tout ce qui était flamingant ou soi-disant tel. Arrêter quiconque avait été impliqué, de près ou de loin, dans la collaboration politique et administrative avec l'occupant, n'était pas difficile. On confia la procédure à des tribunaux militaires d'exception. De jeunes auditeurs ambitieux, pour la plupart originaires des milieux bourgeois francophones, y requéraient des peines ridiculement sévères, aussitôt appliquées. Un premier ministre, M. Pholien, devait plus tard qualifier de 'justice de rois nègres' cette chasse pseudo-patriotique aux inciviques.
Dans les provinces flamandes 184.627 'suspects' devaient se soumettre à une enquête judiciaire; 30.000 d'entre eux furent condamnés, tandis que dans les provinces wallonnes les chiffres étaient respectivement de 95.180 et 14.000.
Alors qu'en Wallonie on poursuivait en condamnait des individus, en Flandre ce fut surtout un idéal qu'on tenta d'étouffer. Ce qui était flamand fut mis hors la loi et les citoyens qui avaient gardé une attitude irréprochable durant la guerre, mais étaient connus comme flamingants, n'échappèrent pas aux tracasseries. Durant ces premiers mois, la Résistance, forte de l'appui du parti socialiste, relégua dans les catacombes les flamingants de droite. Aussi n'y eut-il plus de manifestations flamandes. Même au sein des universités de Gand et de Louvain, une lourde chape d'angoisse pesait sur les étudiants et les professeurs.

Immédiatement après la libération, le gouvernement de 'Londres' s'était mué en un gouvernement d'union nationale, formé de catholiques, de libéraux, de socialistes et de communistes. Ce fut d'abord le 'Londonien' Pierlot qui présida

cette équipe unioniste, mais, le 12 février 1945, le socialiste brugeois Achille Van Acker lui succédait; celui-ci était un des promoteurs du pacte socio-économique élaboré dans la clandestinité et destiné à régler après guerre les rapports entre employeurs et employés.
Cinq mois plus tard, l'union nationale se désagrégea. Le roi Léopold avait été libéré, en Autriche, par les troupes américaines, mais, à Bruxelles, les communistes, la Résistance de gauche et le parti socialiste s'opposaient à son retour. Pour eux, le caractère autoritaire du roi était un obstacle à l'établissement d'un régime plus démocratique et plus populaire, et à l'instauration de la république. Ils avaient eu connaissance du soit-disant testament politique rédigé par le roi Léopold peu avant son départ en captivité en Allemagne. Le roi y exigeait des ministres de Londres des excuses pour leurs déclarations offensantes de 1940 et précisait, qu'en tant que chef de l'Etat, il ne souscrivait pas inconditionnellement aux engagements que le gouvernement avait contractés vis-à-vis des alliés. Tout ceci dressa contre lui pas mal de politiciens craignant de voir s'installer un règne plus autocratique encore qu'auparavant. Mais, peu disposés à rendre publiques les raisons profondes de leur opposition, les adversaires du souverain choisirent de divulguer le 'dossier de guerre' du roi : sa visite à Hitler, le 19 novembre 1940, ses contacts indirects avec certains dirigeants de la collaboration, son mariage en captivité. Charles Janssens, député libéral de Bruxelles et bourgmestre d'Ixelles, allait résumer les griefs dans cette accusation lapidaire : „Léopold est le premier des inciviques".
L'abcès de la question royale n'allait pas tarder à éclater. Bien vite apparut la gravité de la situation. En effet, dans les provinces flamandes, la grande majorité de la population n'avait pas oublié qu'en mai 1940, le roi avait épargné un bain de sang à des centaines de milliers d'évacués et de soldats. Elle maintenait sa confiance au chef de l'Etat

et exigeait son retour immédiat.
Les catholiques du gouvernement Van Acker se trouvaient pris entre deux feux, car les électeurs catholiques wallons étaient, eux aussi, généralement favorables au roi. Aussi les ministres, tiraillés entre la solidarité gouvernementale et leurs obligations électorales, se résolurent-ils à démissionner. Ce qu'ils firent le 17 juillet 1945.
Jusqu'au 20 mars 1947, le pays allait être gouverné uniquement par des cabinets de gauche.
Ce fut là, durant vingt mois, une période néfaste pour quiconque possédait un réflexe flamand. Dans les provinces méridionales, le wallingantisme triomphait, car la plupart des wallingants appartenaient à la gauche. Durant l'occupation, nombre d'entre eux s'étaient engagés dans la Résistance. A présent, ils étaient à la fois patriotes et wallingants, ce qui n'excluait nullement un renouveau de la francolâtrie. Le 20 octobre 1945, la majorité du congrès national wallon se prononça en faveur du rattachement de la Wallonie à la France ! Cette décision effraya à ce point les notables présents que le congrès fut convié à un nouveau scrutin. Cette fois, la majorité se prononça en faveur d'une Belgique fédérale. Pourtant, pas plus que dans l'opinion flamande, on n'allait oublier en Wallonie cette déclaration d'amour à la France.
Tandis qu'en Flandre, certains s'efforçaient — bien maladroitement — de rétablir le bilinguisme dans l'administration et l'enseignement, les journaux francophones exigeaient la suppression des lois linguistiques. Quelques Flamands 'belgicistes' allaient répétant que la Belgique aurait dorénavant priorité sur la Flandre, et qu'il était temps de mettre un frein aux griefs linguistiques et autres revendications antipatriotiques. La Flandre se devait d'adopter une attitude positive et 'adulte' vis-à-vis de la Belgique.
A la libération, le journal 'De Standaard' fut interdit et remplacé par 'De Nieuwe Standaard' qui, par une ma-

nœuvre assez hypocrite, tentait d'usurper, à son profit, l'influence du porte-parole du Mouvement flamand.

La reconstruction

Malgré la hargne dont on les poursuivait, les flamingants purent bientôt renouer avec le mouvement d'avant-guerre et faire entendre leur voix au Parlement, grâce à la constitution du nouveau Parti social chrétien.
Ce parti, qui vit le jour, un an après la libération, fut l'aboutissement de divers contacts établis, durant l'occupation déjà, entre des hommes politiques de l'ancien 'bloc catholique' et des nouveaux venus de la jeune génération. D'après le consensus adopté, le vieux 'standenpartij' clérical devait faire place à un parti chrétien et progressiste qui représenterait toutes les classes sociales et les réunirait sous une même houlette. Ce ne furent pas là de simples vœux académiques. Dès le rétablissement du régime démocratique, le directoire du bloc catholique élabora un 'programme de rénovation nationale' et, en février 1945, il décida que le parti catholique ne ressusciterait plus. Un comité provisoire fut chargé de mettre sur pied le nouveau parti. Du côté flamand siégèrent, dans ce comité, le professeur Edg. De Bruyne et A. Verbist qui avaient signé, en décembre 1936 et au nom du K.V.V., l'accord de principe avec le V.N.V. Le comité s'assura la collaboration active d'un troisième signataire, le professeur G. Eyskens, celle de P.W. Segers, du 'Londonien' A.E. De Schrijver et de nouveaux venus tels que Robert Vandekerckhove, Michiel Vandekerckhove, Théo Lefèvre, Renaat Van Elslande qui, dans son hebdomadaire 'Het Westen', œuvrait pour une revision fondamentale des conceptions politiques. La Fédération des Cercles Catholiques, conservatrice, mena bien quelques combats d'arrière-garde, mais en août 1945 un 'Christelijke Volkspartij' prit la place du 'standenpartij'

démodé. Son aile francophone s'appelait 'Parti Social Chrétien'. Peu de temps après, le nouveau parti publia un programme de Noël en tous points remarquable; programme qui allait influencer profondément la politique belge durant un quart de siècle. Il portait le double sceau du Wallon P. Wigny et du Flamand R. Houben; dans le parti même cependant, on nota, dès le début, une prépondérance flamande évidente et, par conséquent, un grand apport de démocrates. Le Parti Social Chrétien, lui, comprenait un plus grand nombre de conservateurs.
Malgré le caractère unitaire du parti, lors du congrès constitutif, Flamands et Wallons se réunirent en sections séparées et chaque section choisit ses délégués à la direction du parti. Un des points du programme de Noël avait trait à la reconnaissance par l'Etat et à la promotion du caractère dualiste de la culture dans la société belge. Tout en se déclarant explicitement adversaire du statu quo, le parti s'opposait à toute réforme de l'Etat accordant un pouvoir souverain aux organes régionaux. Si le fédéralisme fut rejeté, c'était par crainte du séparatisme et aussi, parce que le parti s'estimait en mesure de proposer des formules plus efficaces, telles :
- la garantie d'une influence égale, au niveau national, de Flamands et de Wallons dans la direction générale des affaires de l'Etat „afin d'écarter définitivement toute menace d'impérialisme culturel soit flamand soit wallon et afin d'assurer effectivement la recherche et la satisfaction des intérêts spécifiquement régionaux";
- une égalité équitable dans les cadres dirigeants de l'administration centrale de l'Etat et des institutions parastatales;
- l'adaptation du régime linguistique de Bruxelles à son rôle de capitale d'un pays bilingue;
- une revision de la Constitution garantissant contre toute infraction les droits des Flamands et des Wallons.

Enfin, le P.S.C. réclamait la décentralisation administrative et la déconcentration.
Pareil programme distançait les démocrates-chrétiens de l'opinion courante dans les autres partis et dans les milieux unitaires dominants. Plus que quiconque, ils avaient conscience des problèmes posés par un pays plurilingue et du caractère propre des différentes régions. Cette vision claire des choses, les démocrates-chrétiens la devaient également à l'influence des dirigeants flamingants expérimentés, qui avaient eu précédemment déjà, lors de la crise provoquée par la guerre, l'occasion de confronter à la réalité leurs idées concernant l'organisation de l'Etat; ces flamingants, retenant l'essentiel de leur expérience, voulaient œuvrer à présent par-dessus le conservatisme et l'esprit de revanche, en proposant des versions adaptées aux réformes déjà considérées comme essentielles en 1939 et qui avaient virtuellement été acceptées.

C'est avec ce programme, qui jeta de nouveaux ponts pardessus une coupure de cinq années, que le P.S.C. allait affronter les premières élections parlementaires de l'aprèsguerre. Les circonstances étaient assez défavorables. Le ministre libéral de l'Intérieur, Van Glabbeke, avait fait insérer dans le projet de loi du 19 septembre 1945, une clause interdisant aux inciviques le droit de vote et d'éligibilité aux fonctions publiques. La majorité des personnes soupçonnées d'incivisme appartenant aux milieux catholiques et flamingants, cette mesure se révéla une manœuvre électorale dirigée contre le P.S.C., le seul parti à pouvoir rallier les suffrages des catholiques et des flamingants.
Les élections du 17 février 1946 furent cependant favorables au parti démocrate-chrétien, qui obtint 92 sièges à la Chambre et en constituait ainsi la fraction la plus importante, face aux 69 socialistes, 23 communistes, 17 libéraux et 1 catholique de gauche. Au Sénat il ne manqua qu'un

siège au P.S.C. pour obtenir la majorité absolue. Ce siège manquant permit aux partis de gauche (après les vaines tentatives de Spaak pour maintenir en vie un cabinet socialiste homogène) de former une coalition rejetant le P.S.C. dans l'opposition. Si le P.S.C. avait obtenu la majorité au Sénat, il aurait pu, peut-être, son appui étant indispensable, exercer un rôle modérateur dans la répression et dans le déroulement de la question royale...

Le renforcement de la gauche donna l'illusion aux forces antiflamandes que l'agitation pouvait se poursuivre en toute sécurité.
La Tour de l'Yser à Dixmude fut dynamitée dans la nuit du 15 au 16 mars 1946. Un seul coup sourd d'une violence extrême détruisit le monument de fond en comble. L'indignation fut grande dans l'opinion flamande, d'autant plus que les auteurs (on supposa généralement qu'on y avait employé les spécialistes d'un bataillon de déminage tout proche) restèrent inconnus. L'instruction judiciaire allait traîner pendant des années. Le député P.S.C. flamand, G. Develter, interpella régulièrement le gouvernement à ce sujet. Preuves à l'appui, il accusa le procureur général de freiner l'enquête; aussi ce magistrat fut-il suspendu pour un mois. Mais jamais on ne trouva trace des coupables.
La destruction du monument aux morts, symbole de l'émancipation du peuple flamand, si elle causa une profonde blessure, déclencha aussi un regain de vitalité. Le 28 avril 1946 déjà, des jeunes organisèrent, à Dixmude, une cérémonie de réhabilitation. J. Cardijn, professeur à l'Université de Louvain, responsable du pèlerinage, avait dû, au préalable, donner au gouvernement l'assurance écrite que tout se passerait dans la dignité, et ceci en des termes qui condamnaient implicitement comme antinationaux, les pèlerinages d'avant-guerre. Ce fut un écrit humiliant. Peu après, le gouvernement déclara qu'il envisageait l'expropriation

du pré où se déroulait le pèlerinage de l'Yser, afin d'y élever un monument belge. A la Chambre, appuyé par des catholiques wallons, le professeur Eyskens et d'autres Flamands réagirent avec vigueur. Le projet ne fut pas mis à exécution, mais une fois de plus, les passions s'étaient déchaînées.

Ces premières réactions étaient toutes défensives. On n'oubliait pas pour autant que des dizaines de milliers de flamingants restaient incarcérés, que des dizainees de milliers d'autres avaient été privés de leur travail et ruinés. On vit des intellectuels vendant de porte-à-porte des vêtements d'enfants afin d'assurer la subsistance de leur famille. Van Cauwelaert alla rendre visite en prison à Borginon et au poète F. Vercnocke; un beau geste de solidarité flamande et de sympathie envers deux hommes honnêtes. Quant à Dom Modest Van Assche, l'Abbé de Steenbrugge, emprisonné, bien qu'innocent, il ne devait sortir de prison que pour mourir...

Bien que leur position au sein du P.S.C. fut encore précaire, les flamingants de la jeune génération tentèrent de réagir, vaille que vaille, contre les excès les plus criants de la répression. Le programme de Noël ne prit consistance qu'à grand peine au cours de ces premières années. La question royale empoisonna bien vite l'atmosphère, semant la haine et la confusion, divisant les familles et empêchant les partis de s'attaquer aux problèmes fondamentaux. Au sein du P.S.C., Flamands et Wallons serrèrent les rangs pour résister à la pression antiléopoldiste, ce qui contraria le développement des ailes flamandes et wallonnes du parti au seul bénéfice du pouvoir central.

Du côté socialiste, quoiqu'en dehors du cadre du parti, un 'Vermeylenfonds' fut créé sur ces entrefaites qui, sous la présidence de A. Mussche, allait former avec le Davidsfonds et le Willemsfonds déjà existants, un trio d'associations culturelles de qualité. En décembre 1946, ce Vermeylen-

fonds prit l'initiative d'un questionnaire relatif à la situation du Mouvement flamand, questionnaire soumis à un certain nombre de Flamands et d'organismes influents. Il reçut 40 réponses. Le rapport, rédigé par le professeur E. Blancquaert, fit ressortir l'inquiétude unanime devant le sort peu enviable qu'on réservait aux Flamands.
Max Lamberty, le 'philosophe du Mouvement flamand' et neveu de Lodewijk De Raet, écrivit dans sa réponse : „depuis quelques années un snobisme francophile renouvelé est en train d'empoisonner la vie politique". Le rapport énumérait encore les griefs concrets formulés, entre autres, contre la non-application de la législation linguistique dans l'administration et la justice, l'armée et l'enseignement, ainsi qu'à Bruxelles. Pour toutes les personnes questionnées, le Mouvement flamand gardait toujours sa pleine signification.
Blancquaert édita une brochure définissant un programme d'action flamande et insistant sur l'importance primordiale d' 'éveiller une prise de conscience flamande dans toutes les couches de la population...'.
L'initiative du Vermeylenfonds fut saluée avec faveur par les flamingants, mais tandis que les parlementaires du P.S.C. accueillaient avec sympathie remarques et directives du Davidsfonds catholique, les politiciens du parti socialiste restèrent indifférents aux critiques de leur élite intellectuelle.

Une réaction flamande s'ébaucha ainsi peu à peu, limitée d'abord à la publication de textes relativement discrets. Le 20 décembre 1945 parut le premier numéro de l'hebdomadaire *Rommelpot* qui dénonçait le climat de répression et adoptait un ton résolument nationaliste. Il fut suivi, en mars 1946, du mensuel politico-littéraire *Golfslag,* édité par un groupe de jeunes Anversois. L'hebdomadaire solidariste *Branding* de l'étudiant Frans Van Mechelen (qui allait devenir ministre par la suite), *Wit en Zwart, Het*

Spoor van de lage landen, Opstanding et autres datent environ de la même époque.
Cette presse, sans prétendre exercer une quelconque pression sur les partis politiques, invitait à la discussion et ne s'adressait pas qu'aux seuls nationalistes flamands.
A travers ces discussions, parfois d'allure polémique violente, perçaient les intentions d'une nouvelle génération de flamingants radicaux : purifier le nationalisme, rejeter les projets utopistes et ne plus traiter l'Etat belge en ennemi, mais en faire le cadre d'une union fédérale de Flamands et de Wallons. On y décelait également une tendance démocratique et proparlementaire, et une conception plus réaliste du vieux rêve de collaboration pannéerlandaise.
Le débat ouvert sur l'état de la question flamande fut considérablement stimulé par la reparution, le 1er mai 1947, à l'initiative d'un groupe de flamingants traditionnels, du journal 'De Standaard' qui, tout de go, partit en guerre contre la politique de répression et prit de nouveau la tête de l'action flamande. De plus, il ne ménageait pas son soutien au P.S.C. qui était, pour reprendre son expression, „l'épée et le bouclier de la Flandre".
Ce fut le député P.S.C. gantois, Gérard Van den Daele qui, le 15 juillet 1947, se chargea de la première grande interpellation d'après-guerre sur un problème flamand. S'appuyant sur des statistiques, il établit avec réalisme et détachement la manière dont les Flamands étaient désavantagés dans l'administration publique. Celle-ci, à son sommet, ne comptatit que deux Flamands pour trois Wallons. Si Van den Daele ne proposa pas le vote de nouvelles lois linguistiques, c'est que ces lois existaient déjà; seulement elles n'avaient jamais été appliquées.
Le député gantois ne devait pas s'en tenir à cette seule intervention. Au Parlement, il devint une sorte de symbole. Pour tous les francophones il incarnait un type, celui du flamingant aigri et casse-pieds. Mais Van den Daele, qui

avait la carapace dure, tint bon, sans se laisser embobeliner par de belles paroles et d'aimables promesses. Chaque fois qu'un budget devait être voté, il proposait des crédits extraordinaires, afin de permettre la nomination de fonctionnaires flamands et de rétablir l'équilibre linguistique. Par là, il força les députés à prendre position, ce qui permit de dénombrer partisans et adversaires.

Durant quatre ans, jusqu'en 1950, date à laquelle il fut chargé lui-même d'un portefeuille, Van den Daele mena la vie dure aux ministres. Dans son département, il veilla à une stricte application de la loi linguistique, mais la Chambre perdit du même coup un lutteur particulièrement coriace.

Deux ans après la libération, les congrès se multiplièrent. Le 'Katholieke Vlaamse Landsbond', incapable de retrouver les prestige dont il avait joui et de reconquérir son influence d'antan, finit par disparaître. Par contre, le Davidsfonds, dans des réunions très animées, s'attachait aux problèmes de la lutte politique. En dehors de ces congrès, interpellations parlementaires et polémiques de presse, ce furent surtout les propos provocants de certains milieux francophones qui galvanisèrent à nouveau les énergies du Mouvement flamand.

Thérapie de choc

Si le dynamitage de la Tour de l'Yser avait suscité une vague d'indignation dans l'opinion publique, le recensement linguistique de 1947 apparut comme une seconde provocation.

Sur leur formulaire de recensement, des dizaines de milliers de néerlandophones, traumatisés par ce climat de répression antiflamand, parfois aussi soumis aux intimidations des notables locaux, avaient déclaré appartenir au groupe linguistique français. Le caractère tendancieux et antiscien-

tifique de ce recensement apparaissait clairement. Dans certaines communes même, les résultats avaient été falsifiés. Pourtant, le gouvernement se résolut à reconnaître la validité de la consultation et à en publier les résultats dans le Moniteur, ce qui aurait eu pour conséquence de changer le régime linguistique d'un certain nombre de communes flamandes situées sur la frontière linguistique. En d'autres termes, ces communes situées entre les deux ethnies, d'unilingues qu'elles étaient au départ, auraient été francisées, après avoir passé par le stade du bilinguisme.
La décision du gouvernement suscita une véritable levée de boucliers. Depuis le mois de mars 1947, le P.S.C. était revenu au pouvoir, cette fois dans une coalition avec les socialistes, conduits par P.H. Spaak, clôturant par là la série des cabinets de gauche. La guerre froide qui, à cette époque, opposait les Etats-Unis et le monde soviétique, avait, en Belgique, fait écarter les communistes du gouvernement. Les ministres flamands du P.S.C., conscients de l'embarras de leur fractions parlementaires vis-à-vis des contestations soulevées par le recensement linguistique, réussirent à faire ajourner la publication officielle des résultats, ajournement qui allait être maintes fois prolongé.
Le retour des forces flamandes, rue de la Loi, allait de pair avec celui de la démocratie chrétienne à la direction du pays. Les politiciens de l'ancienne génération se virent aimablement, mais définitivement écartés par des nouveaux venus. Frans Van Cauwelaert allait se consacrer à la collaboration atlantique. En sa qualité de président de la Chambre, il occupait encore une situation de prestige, mais était écarté de la direction de l'action flamande, ne jouant plus qu'un rôle de figure historique. A présent, la parole était à l'avant-garde parlementaire, à laquelle appartenaient des députés comme Albert De Gryse et Louis Kiebooms, de même que Léon Delwaide qui, en collaboration avec Henri Fayat, socialiste, mettait tout son zèle à la néerlandisation

de la diplomatie belge, entièrement francophone jusque là. Ces hommes politiques s'attaquèrent encore aux lois réglant la répression et l'épuration administrative, allèrent discourir dans des congrès et établirent en commun un dossier cohérent de griefs et de revendications concernant encore et toujours les lois linguistiques, réclamant la suppression du recensement linguistique et la fixation définitive des limites de l'agglomération bruxelloise.
Un diplôme néerlandais serait exigé désormais de tout candidat postulant une fonction publique en Flandre. A l'administration de l'Etat, les employés devraient être subdivisés en 'rôles' linguistiques néerlandophone et francophone. Ce dossier, déjà volumineux, allait grossir régulièrement.
Les Flamands n'étaient pas les seuls à s'agiter. Du côté wallon on commençait à s'inquiéter sérieusement des effets de la récession économique et démographique. Un centre de recherches chargé de l'étude des problèmes politiques, sociaux et juridiques de l'ensemble des régions fut créé à l'initiative de Pierre Harmel, député démocrate-chrétien de Liège, pour parer à tous ces problèmes. Le Centre Harmel, entré en activité en 1948, allait jouer un rôle très important dans la réforme des institutions belges. Il comptait 44 membres dont 24 ne siégeaient pas au Parlement. Le Centre répartit le travail en sections chargées respectivement des aspects démographiques, économiques, politiques, culturels et administratifs du contentieux flamand-wallon. Bruxelles et les cantons de l'est germanophones ne furent pas oubliés. A plusieurs reprises on prolongea les activités du Centre, qui publia son rapport de clôture le 24 avril 1958. Ses propositions détaillées allaient inspirer, quelques années plus tard, les gouvernements attelés à la réforme de l'Etat. Dans ses conclusions générales, le Centre reconnaissait l'existence des communautés culturelles flamande et wallonne. Il proposait : 1. l'instauration de l'unilinguisme dans

la vie intellectuelle, l'enseignement et l'administration de chaque communauté; 2. l'assimilation des minorités linguistiques trop souvent tentées par un esprit d'isolement. Le Centre condamnait toute forme de bilinguisme obligatoire. A propos de la capitale, le Centre estimait 'que l'agglomération bruxelloise ne forme pas de communauté culturelle'.
D'après les conclusions, Bruxelles et sa périphérie appartenaient aussi bien à la communauté wallonne que flamande 'dont ils constituent le bien commun'.
Le Centre conseilla au Parlement de reconnaître l'autonomie culturelle des deux communautés et de créer pour chacune d'elles un conseil culturel.
Parmi les propositions nombreuses et concrètes formulées par le Centre, il faut noter encore : le clichage définitif de la frontière linguistique, la parité des Flamands et des Wallons dans les services publics de l'Etat, la scission du Brabant en régions flamande, wallonne et bruxelloise, la décentralisation des services publics, une gestion flamande et wallonne séparée de la radio et de la télévision...
Toutes ces propositions furent élaborées en une période de tensions et de confrontations politiques, ressenties intensément par les Wallons et Flamands modérés collaborant au Centre, en cordiale entente et avec une grande conscience professionnelle. Ce n'étaient pas des théoriciens en chambre, mais des hommes politiques réalistes mêlés de près aux situations conflictueuses, d'où le pragmatisme de leurs conclusions parfaitement adaptées à l'évolution des esprits.

En 1949, le climat d'agressivité qui avait marqué la libération, se rasséréna peu à peu au point que les nationalistes se risquèrent à sortir de l'ombre. Dès le 14 mai 1949 fut fondé, sous le nom de 'Vlaamse Concentratie', un parti qui jugea opportun de renouer avec les traditions d'avant-guerre et d'envoyer à nouveau des nationalistes flamands siéger

au Parlement. Qu'il ait fallu attendre quatre années pour tenter ce pas, prouve à suffisance combien l'atmosphère était différente de celle de 1918. A cette époque, les frontistes rescapés de l'Yser eurent tout loisir de collaborer avec les activistes, de constituer des listes de candidats, où les deux tendances étaient représentées et de déléguer, dès novembre 1919, cinq nationalistes à la Chambre. En 1949 par contre, les radicaux étaient toujours traîtés avec la plus grande haine et le plus grand dédain. Ils n'étaient pas ceints de l'auréole patriotique des soldats de l'Yser. Les collaborateurs étaient en butte au mépris qui touchait tous ceux qui s'étaient politiquement rangés du côté des 'bourreaux de Buchenwald et d'Auschwitz'. Les nationalistes flamands, si innocents et ignorants qu'ils aient été individuellement, n'échappèrent pas au reproche de 'nazis' qu'on leur lançait, reproche dont usaient abondamment les autres partis, et surtout ceux de gauche.
Les élections législatives du 26 juin 1949 prouvèrent d'ailleurs que l'initiative nationaliste était prématurée. La 'Vlaamse Concentratie' n'obtint aucun siège; le Parti Social Chrétien, par contre, obtint 105 sièges (sur un total de 212). La position des Flamands à l'intérieur du P.S.C. s'affermissait, malgré le handicap de la question royale qui, plus que jamais, monopolisait toute l'attention des milieux politiques et de l'opinion publique.
Lors des nouvelles élections générales du 4 juin 1950, un an plus tard donc, le P.S.C. obtint la majorité absolue dans les deux assemblées. Après la douche froide des résultats électoraux précédents — et aussi pour ne pas affaiblir le parti léopoldiste —, les nationalistes flamands ne s'étaient pas représentés. Peu de temps après, le pays flamand connut son troisième cuisant échec de l'après-guerre. Alors que 57 p.c. de la population belge et 72 p.c. des Flamands se prononçaient en faveur du retour du roi, ce dernier fut contraint d'abdiquer sous la pression de la Wallonie qui

avait voté contre, par 58 p.c. des voix.
Durant cinq ans, le P.S.C. et les autorités ecclésiastiques avaient mené campagne pour le rétablissement de Léopold III sur le trône. Le pays catholique et surtout la Flandre catholique, avaient pris fait et cause pour le roi qui, dans son 'testament politique', avait fait montre de compréhension à l'égard de la question flamande. Le léopoldisme de l'homme de la rue était avant tout une réaction passionnelle, sans souci des raisons profondes qui pouvaient s'opposer au retour du souverain contesté, mais cette réaction n'en était que plus intime. Lorsque, après la consultation populaire, le roi Léopold regagna effectivement sa capitale et lorsque, au milieu d'explosions d'enthousiasme et de colère, il rentra au palais, la presse flamande écrivit : „Le roi est de retour et aucune force dans le pays ne peut l'en expulser contre l'avis de la Flandre".
C'était compter sans une réalité nouvelle : le roi des Belges serait désormais le roi des Wallons aussi bien que des Flamands. Le dénouement de la crise royale apprit à la population néerlandophone de Belgique que sa majorité numérique n'était pas synonyme de majorité politique. Du même coup s'écroulait la théorie chère à Van Cauwelaert selon laquelle 'la course au pouvoir politique passe par la poussée démographique'. L'incident démontra surtout qu'au caractère dualiste du pays sur le plan culturel et linguistique correspondaient également des divergences politiques fondamentales. Une majorité de Belges s'était prononcée en faveur du roi Léopold, mais une majorité de Wallons s'était prononcée contre. L'abdication prouva que désormais il n'était plus possible de régner à l'encontre de la volonté d'une des deux régions, qu'en d'autres termes, il fallait dorénavant sonder aussi l'opinion régionale.
Ce fut là une constatation nouvelle et inquiétante, car jamais auparavant l'opposition entre la Flandre et la Wallonie ne s'était manifestée aussi violemment que dans le courant de

ces mois d'été dramatiques de 1950. A l'assemblée des deux Chambres réunies, des délégués wallons avaient chanté la Marseillaise et crié „Vive la France".
En Flandre, la déception fut des plus amères. Dans le Parti Social Chrétien, au cours d'un congrès extraordinaire qui prit des allures de tribunal populaire, des léopoldistes furieux exigèrent des comptes de quelques dirigeants de la vieille garde, soupçonnés de tiédeur dans la défense de la cause royale. On s'acharna principalement sur Van Cauwelaert qui, à partir de ce moment, se vit dépossédé définitivement de son poste de leader de la droite flamande.
Cette droite constituait au Parlement le seul groupe de flamingants relativement cohérent. Chez les socialistes, les Flamands ne comptaient guère qu'un Antoine Spinoy, un Henri Fayat et un Lode Craeybeckx, mais le chef du parti, le Wallon Max Buset, de même que la majorité wallonne du parti et l'allergie socialiste aux 'problèmes linguistiques' firent qu'au sein du P.S.B. la politique flamande était reléguée à l'arrière-plan. Chez les libéraux, l'élément flamand était sans importance et devait le rester durant longtemps encore. Au P.S.C. par contre, la position de la nouvelle formation de flamingants d'après-guerre se vit renforcée au cours des années 1949-1950. Ce fut l'époque où Renaat Van Elslande et Jan Verroken entamèrent leur carrière parlementaire. Sous l'impulsion de P.W. Segers, une ouverture fut tentée vers le milieu nationaliste touché par la répression, en vue d'empêcher la formation d'un parti radical d'opposition.
Mais Segers n'obtint qu'un succès partiel.
Victor Leemans, Jos Custers et Emile De Winter, trois Flamands en vue qui, sous l'occupation, avaient exercé de hautes fonctions administratives et qui, pour ces raisons, avaient été 'inquiétés' après la libération, acceptèrent un siège de sénateur, non sans que Segers ait eu à essuyer au préalable de sévères protestations de la part de ses col-

lègues francophones. Il ne réussit pas à décrocher un seul siège de député pour ses candidats. En fin de compte, la politique d'ouverture manqua le but fixé : elle ne put empêcher l'entrée, rue de la Loi, d'un parti nationaliste, ce qui accentua les divergences entre le P.S.C. et les Flamands radicaux pour qui Leemans et Custers n'étaient que des transfuges.

En outre, la façon dont l'abdication avait été imposée, fit le jeu des radicaux. L'électeur flamand comprit que, pardelà les droits linguistiques individuels et les griefs de la communauté, il existait entre Flamands et Wallons non seulement une différence de langue, mais une différence de mentalité.

Après l'expérience très superficielle et d'ailleurs avortée d'Herman Vos, en 1931, l'idée fédéraliste avait continué à végéter, en Wallonie principalement. Propagée surtout par des Wallons de gauche après la libération, elle suscita alors un regain d'intérêt en Flandre. Tout rêve d'unification pannéerlandaise avait été abandonné; il n'était plus question d'un quelconque séparatisme belge. On adopta un nouveau point de vue résolument belge. Des personnalités éminentes telles que le professeur C. Heymans, prix Nobel, l'historien Max Lamberty et le professeur J.F. Fransen (qui avait succédé au professeur Daels comme président du Comité du Pèlerinage de l'Yser) estimèrent qu'une organisation fédérale de la Belgique pourrait être favorable à la Flandre. Dans ce but ils mirent sur pied, en juin 1950, après la navrante consultation populaire et avant même l'abdication, un comité qui envisageait les problèmes d'état dans la perspective d'une Europe fédérale. En 1952, sous l'égide de Walter Couvreur, professeur à l'université de Gand, des pourparlers furent engagés avec François Schreurs, secrétaire général du Congrès National Wallon, et d'autres fédéralistes wallons.

Le 3 décembre 1952, un manifeste commun fut publié et

signé par une centaine de personnalités flamandes et wallonnes. Ce manifeste postulait que „la Belgique est composée de deux peuples possédant chacun leur langue propre, ainsi que leur individualité culturelle et ethnique, à savoir le peuple flamand et le peuple wallon”. Le manifeste stipulait en outre que la frontière linguistique 'fixée définitivement d'après des normes objectives' servirait de frontière entre la Flandre et la Wallonie et que, dans les deux parties du pays, les minorités linguistiques ne jouiraient d'aucune reconnaissance officielle. Enfin, d'àprès le manifeste, la Belgique devait devenir un état fédéral et Bruxelles ('territoire historiquement flamand') devait être doté d'un statut spécial accordant aux Flamands et aux Wallons des droits égaux grâce à un système de sous-nationalité.
Suite à la concertation de ces fédéralistes, 43 Principes fondamentaux, instaurant un fédéralisme à deux et un territoire fédéral pour Bruxelles, furent encore publiés, en octobre 1953, simultanément à Charleroi et à Anvers.
De ces documents se dégageait l'impression que l'ébauche d'un état fédéral était réalisable en Belgique. Pourtant, les difficultés ne furent qu'effleurées et aucune étude approfondie des nombreux problèmes techniques que posait l'administration publique ne fut entreprise.
Ce furent principalement les tensions dans la conjoncture nationale aussi bien qu'internationale qui empêchèrent les partis politiques de prendre position vis-à-vis du manifeste aussi bien que des principes fondamentaux.
La cabinet P.S.C. homogène (1950-1954) se trouvait confronté à des problèmes délicats et astreint à une extrême prudence. S'il est vrai que l'opposition socialiste fut modérée et qu'aucun nationaliste flamand ne siégeait encore à la Chambre, par contre, l'opinion chrétienne ne se rétablissait que lentement du choc de la question royale. Seule la grande énergie de l'autoritaire Théo Lefèvre, le nouveau président, réussit à débarrasser le parti de ses traumatismes. De plus, la

guerre de Corée imposait au pays un lourd tribut militaire et financier, ce qui provoqua une hausse des prix et inquiéta les syndicats. Au Parlement, l'opposition ne désarmait pas lorsqu'il s'agissait d'atténuer les séquelles de la répression, les porte-parole de la Résistance s'opposaient avec vigueur à la libération d'inciviques notoires ou à l'application de mesures de clémence. Sans tenir compte de la cabale, le ministre de la Justice, L. Moyersoen, s'opposa à l'exécution des condamnés à mort et fit libérer Romsee. Cependant, lorsque son successeur, J. Pholien, prétendit poursuivre cette politique de clémence, les politiciens wallons de son parti, ainsi que l'opposition, le forcèrent à démissionner. A la tête du pays ainsi qu'à la direction des partis, débordé par l'amoncellement des problèmes exigeant une solution pratique à court terme, on n'était guère prêt à entamer, dans pareil climat, des conversations sur des projets de réformes fédéralistes. Le moment n'était pas aux discussions théoriques.

En décembre 1950, dans le but d'accroître leur influence au sein du gouvernement, des Flamands du P.S.C. de la Chambre se constituèrent en un groupe séparé, au grand déplaisir du président Lefèvre, attaché au maintien d'un parti unitaire, d'un P.S.C. sans 'ailes' et sans divisions de classes, ni de langues.

Aussi les premières réunions du groupe flamand de la Chambre encoururent-elles la désapprobation de la direction du parti; mais, au sein même de la démocratie chrétienne, on ne s'offusquait plus guère de l'indépendance de plus en plus marquée des Flamands (et par conséquent aussi des Wallons). Le groupe flamand de la Chambre eut tôt fait de définir son attitude. C'est ainsi qu'il apporta son soutien à l'obstination de Godfried Develter, exigeant du Parlement que toute la clarté soit faite dans l'affaire du dynamitage de la Tour de l'Yser. Le groupe s'efforça, avec succès, de faire différer à plusieurs reprises la publication officielle des résultats du recensement linguistique de 1947. De plus, il força le ministre des Affaires étrangères, Van Zeeland, à engager dans la Carrière un nombre égal de Flamands et de francophones.

Ce qui, en dehors des partis et du Parlement, caractérisa la nouvelle orientation de l'action flamande, ce fut la priorité accordée aux problèmes socio-économiques. La néerlandisation de l'enseignement supérieur portait ses fruits : c'est grâce à l'apport de jeunes économistes et sociologues que s'élargirent les horizons de la problématique flamande. Il était passé le temps où Lieven Gevaert était considéré comme le seul grand chef d'entreprise flamand. Conjointement avec l'apparition de leaders flamingants dans les mouvements ouvriers, se leva une élite d'industriels et de financiers flamingants. A l'université de Louvain, Karel Pinxten, émule de Fernand Collin et de Gaston Eyskens, formait une nouvelle génération d'économistes flamingants; il devait mourir bien trop tôt, mais à l'Université de Gand, André Vlerick, à son tour, allait étendre le champ d'action des Flamands en formant les managers qui, quelques années plus tard, allaient s'atteler à l'industrialisation de la Flandre. Aussi le concept d'économie régionale devint-il familier. Les congrès scientifiques étudièrent les moyens de remédier à l'extension du chômage et à la trop grande mobilité des travailleurs. Le 'Vlaams Economisch Verbond' stimula et coordonna des initiatives qui sensibilisèrent l'opinion publique et les politiciens aux difficultés posées par l'économie régionale. C'est en juin 1951 que le député P.C.S. Jos De Saeger déposa une proposition de loi exemptant d'impôt quiconque investissait des capitaux dans les régions à chômage structurel. Ce fut une première mesure annonçant les lois d'expansion économique qui, huit ans plus tard, assureraient le puissant essor de l'investissement industriel en Flandre.

Que la Belgique néerlandophone se vît confrontée à des

problèmes qui n'étaient pas entièrement identiques à ceux de la partie francophone du pays, c'est un fait que, finalement, le parti socialiste dut bien finir par reconnaître. Les fédérations flamandes de ce parti se réunirent en congrès en avril 1951, et ce pour la première fois depuis 1937, afin d'y discuter de leurs difficultés propres. Camille Huysmans, déjà âgé, y plaida en faveur de la fixation définitive de la frontière linguistique. Le congrès condamna le fédéralisme tout en se déclarant pour une décentralisation de l'Etat, à condition que l'unité sociale et économique du pays soit respectée. En décembre 1952 fut créé, à l'initiative du 'Vlaams Economisch Verbond' (Association économique flamande) et des grandes associations syndicales, un 'Economische Raad voor Vlaanderen' (Conseil économique pour la Flandre) qui allait faire souche. En effet, conseils provinciaux et régionaux, menés par des jeunes, ambitieux et capables, en collaboration avec des conseils communaux dynamiques, étaient décidés à promouvoir de nouvelles initiatives.

En janvier 1953, Maurits Van Haegendoren fonda une sorte d'université populaire pour les Flamands désireux d'approfondir, dans un esprit réaliste et tolérant, les problèmes fondamentaux de l'Etat et de la société. Sa 'Stichting-Lodewijk De Raet' (la Fondation L. De Raet) connut un grand succès, car ses groupes de discussions et ses week-ends d'études innombrables contribuèrent à la mise sur pied d'un consensus dégageant les nouvelles lignes de force du Mouvement flamand et contribuant, dans bien des cas, à concilier les vieilles contradictions entre catholiques et libres penseurs.

Guerre scolaire et renardisme

Les querelles préélectorales des partis paralysèrent la dernière année du gouvernement social-chrétien. Le ministre

Moyersoen tenta de convertir en textes de lois certaines conclusions du Centre Harmel; mais ces textes, approuvés au Sénat, ne passèrent pas à la Chambre. Au début de 1954, le député Renaat Van Elslande déposa une proposition de loi relative à l'autonomie culturelle des régions. Normalement le projet aurait dû être inscrit à l'ordre du jour du nouveau parlement mais, aux élections générales du 11 avril 1954, le Parti Social Chrétien perdit le pouvoir, et ce pour 4 ans, au bénéfice d'une coalition socialiste-libérale. Si, avec ses 95 sièges à la Chambre, le P.S.C. restait le parti le plus puissant, il avait en face de lui un bloc formé de 86 socialistes et de 25 libéraux. Une fois de plus, les nationalistes sortirent déçus de la lutte : leur nouveau parti, la 'Christelijke Vlaamse Volksunie' n'eut qu'un élu, l'avocat anversois H. Wagemans. Le cabinet de gauche Van Acker ne tarda pas à prendre quelques mesures qui furent très impopulaires en Flandre. C'est ainsi qu'en juin 1954, il publia les résultats contestés du recensement linguistique de 1947, entraînant la perte pour la communauté flamande d'un certain nombre de communes. Cette décision provoqua une réaction 'tripartite' unissant des parlementaires flamingants catholiques, libéraux et socialistes. Au mois d'août, une autre mesure gouvernementale allait susciter plus d'indignation encore : 110 enseignants intérimaires de l'enseignement officiel, porteurs de diplômes de l'enseignement catholique et nommés par le gouvernement précédent, furent mis à pied, d'une façon aussi brutale qu'inattendue.

Sous la pression du syndicat chrétien, le gouvernement rengagea un certain nombre de professeurs, mais ce geste de conciliation vint un peu tard. Pour les catholiques, plus aucun doute n'était permis : le ministre wallon de l'enseignement, Léo Collard, avait déclaré la guerre à l'école libre. Leurs soupçons n'étaient pas dépourvus de fondement. On savait qu'aux yeux de Max Buset, président du parti socialiste, formateur du gouvernement mais qui en avait laissé la direction à Achille Van Acker, l'enseignement de l'Etat constituait le meilleur moyen de déchristianiser les provinces flamandes et de les gagner au socialisme. Disons, par euphémisme, que Buset ne portait pas l'école catholique dans son cœur.

Sous le gouvernement précédent et grâce au lois Harmel, l'école catholique avait réussi à améliorer quelque peu sa position concurrentielle par rapport à l'enseignement officiel; l'enseignement moyen supérieur surtout s'était vu allouer de la part de l'Etat des subsides considérables. Les catholiques craignaient à présent que le gouvernement de gauche ne supprime cette faveur. A la fin de 1954, un comité pour la Liberté et la Démocratie fut créé, avec l'appui du P.S.C. et des associations chrétiennes, ce qui paralysa l'action tripartite des flamingants. Toutes les formations politiques se cantonnèrent dans une guerre de positions qui rappelait singulièrement les pages les plus sombres de la guerre scolaire du XIXe siècle. En février 1955, Collard déposa quelques projets de lois modifiant la législation Harmel et reconnaissant à l'Etat le droit d'ouvrir des écoles officielles où bon lui semblait. Dans une protestation violente, datée du 11 février, les évêques qualifièrent ces procédés de 'manœuvres dirigées contre l'enseignement libre'. Le 12 février, dans un message à la radio, le gouvernement riposta, accusant l'Eglise de s'immiscer dans les affaires de l'Etat. Au Parlement, la gauche s'étant rangée solidairement derrière Collard, les projets de lois furent approuvés, mais les catholiques organisèrent à Bruxelles des manifestations monstres et remirent au roi une pétition portant 2,2 millions de signatures. Théo Lefèvre, président du P.S.C. et cheville ouvrière de l'action de protestation, n'hésita pas à lancer un appel virulent au sabotage de l'épargne publique. Des ministres furent pris à partie par des manifestants furieux.

La principale cible de ce tir de barrage catholique était le Wallon Collard. Bien que son chef de cabinet et conseiller fut le flamingant Julien Kuypers, l'indignation visait en effet uniquement le ministre wallon. Et si les Flamands se réjouirent de voir des coreligionnaires francophones se joindre aux manifestations dirigées contre Collard, allant jusqu'à chanter le 'Vlaamse Leeuw' dans les rues de Bruxelles, l'opinion flamande n'en fut pas moins convaincue que les lois Collard portaient l'étiquette wallonne. La guerre scolaire se prolongea jusqu'en 1955 où elle perdit de sa violence. Après concertation en haut lieu, on s'était résolu à un armistice tacite afin d'éviter des désordres préjudiciables à l'unité nationale. N'empêche que la cabinet Van Acker, maintenu au pouvoir jusqu'en 1958, avait perdu tout crédit aux yeux des catholiques flamands.

Si la guerre scolaire éliminait momentanément les hommes politiques flamingants des concertations tripartites, des Flamands moins liés aux partis ou des indépendants n'en poursuivaient pas moins leur collaboration. Le 1er janvier 1955, un mémorandum inspiré des résolutions du Centre Harmel fut rédigé par un comité où, à côté des dirigeants des trois fondations culturelles, Hans Van Werveke, Edward Amter et Achilles Mussche, siégaient Max Lamberty, Lode Baekelmans, Edgar Blancquaert et Ger Schmook.
Sans verbiage inutile, avec une grande clarté, le mémorandum brossait un tableau des réformes nécessaires et raisonnables, à savoir : 1. l'adaptation des ressorts administratifs et judiciaires aux découpages linguistiques territoriaux; 2. l'introduction de l'unilinguisme officiel en Flandre et en Wallonie; 3. la reconnaissance d'un bilinguisme limité (= facilités) pour un nombre de communes situées sur la frontière linguistique; 4. la reconnaissance de la langue de la région comme langue véhiculaire dans l'enseignement, d'où suppression des classes de transition pour les enfants

francophones dans les écoles flamandes; 5. la détermination par la loi d'un statut linguistique pour l'agglomération bruxelloise et la délimitation définitive de cette agglomération; 6. le clichage officiel de la frontière linguistique, de sorte qu'aucune commune ne puisse encore changer de régime linguistique; 7. le remplacement des rôles linguistiques à l'administration de l'Etat par des cadres linguistiques. Le mémorandum préconisait également de déclarer non valide tout acte qui serait contraire à la loi linguistique.
Le mémorandum qui fut remis au premier ministre mit fin définitivement à l'ère des 'expédients linguistiques'; pendant cent ans en effet, la question linguistique avait été l'unique souci. Dans un état administré exclusivement en français à l'origine, les Flamands étaient parvenus, depuis, à assurer successivement à leurs concitoyens un régime leur garantissant un minimum de droits linguistiques, puis un régime bilingue et enfin un régime unilingue néerlandais qui pourtant reconnaissait encore aux francophones certains droits, tel le maintien des écoles françaises.

En 1955, les porte-parole de la communauté flamande, décidèrent, avec l'accord de quelques hommes politiques, d'éliminer une fois pour toutes les résidus du bilinguisme. La Flandre serait unilingue. On empêcherait la frontière linguistique de s'étendre encore vers le nord. On interdirait à Bruxelles d'absorber les communes périphériques du Brabant flamand. Déjà on pensait en termes de 'communauté' et de 'région', laissant aux lois le soin de régler les rapports entre Flamands et francophones.

Dans les années qui suivirent, le mémorandum gagna encore en intérêt. On allait s'y référer bien souvent dans des motions, résolutions de congrès et réunions d'étude; reflet précis de l'opinion publique flamande, il servit de modèle aux parlementaires.

Par contre, les contacts entre fédéralistes flamands et wallons furent moins efficaces. Les nationalistes intéressés au

dialogue avec les wallingants ne disposaient que de peu d'influence dans les grands partis et une déclaration grossière, comme celle du leader syndicaliste liégeois André Renard, lancée le 1er mai 1955 („Pas une patte de Flamand ne se posera sur notre place Saint-Lambert") n'était guère favorable à l'instauration d'un colloque avec les radicaux wallons...
Le 22 décembre 1955, un juriste flamand, le professeur Emile Van Dievoet, se chargea d'un intermède historique : il remit au gouvernement la version néerlandaise de la Constitution. C'était là le résultat d'un patient travail de traduction effectué par une commission officielle, 120 ans après la fondation de la Belgique...

Toujours, sous le gouvernement Van Acker fut fondée, le 4 mars 1955, la 'Vlaamse Volksbeweging', groupe de pression qui, bien vite, allait essaimer dans de nombreuses communes. Sa propagande, ses congrès avaient pour but de promouvoir la fédéralisation effective des institutions publiques; il s'efforçait en outre, avec des résultats variés, de jeter les ponts entre les hommes politiques flamands des grands partis et les nationalistes, tandis qu'au sommet, catholiques et libres penseurs se chargeaient d'harmoniser les diverses tendances idéologiques, de sorte que le V.V.B., tout comme la Fondation Lodewijk De Raet, apparut vite comme le défenseur d'une société pluraliste.
Après les pitoyables polémiques et l'intolérance de la guerre scolaire, on s'était repris à respirer et, dans certains milieux, on penchait vers plus de conciliation. Cependant le gouvernement et l'establishment politique restaient insensibles à ces nouvelles tendances. Des efforts timides, comme ceux de l'automne 1957, où un 'groupe de travail de chrétiens' du P.S.B. tenta d'insuffler au parti un esprit pluraliste menant à un 'socialisme ouvert', demeurèrent sans succès.
Ce fut une époque particulièrement déprimante. En août

1956, la catastrophe minière de Marcinelle, où périrent 261 ouvriers, endeuilla le pays tout entier. En novembre, le monde apprit comment et avec quelle violence la révolte hongroise fut réprimée par les chars russes dans les rues de Budapest; il fut encore témoin d'un dernier relent de colonialisme, quand une petite armée franco-britannique entreprit une expédition punitive contre le président Nasser et capitula devant le mécontentement de Washington et de Moscou.
Ces événements repoussèrent dans l'ombre du train-train journalier la politique intérieure, confrontée avec les revendications des paysans et des classes moyennes.
Le député P.S.C. Van Elslande tenta à nouveau de faire passer un projet d'autonomie culturelle, qui fut rejeté par la majorité de gauche. Cependant le ministre Collard, de son côté, élabora un projet de loi portant sur la création de deux conseils culturels, mais c'était la fin de la législature et le projet ne fut plus soumis à discussion.
Les Flamands revendiquaient aussi l'adaptation du nombre des sièges parlementaires au chiffre réel de la population. Il fut démontré, chiffres à l'appui, que plus d'un demimillion de Flamands n'étaient pas représentés à la Chambre, alors que les 276.000 étrangers résidant principalement en Wallonie intervenaient dans les calculs pour la répartition du nombre de sièges. L'action était appuyée par les groupes de pression flamands et les organismes culturels. Mais le gouvernement n'osa pas entreprendre cette opération délicate.

Les élections générales du 1er juin 1958 furent décevantes pour les partis gouvernementaux et infligèrent un net recul aux libéraux; par contre le P.S.C. gagna 9 sièges à la Chambre; il était évident que l'électeur s'était prononcé contre 'le cabinet de la guerre scolaire'. Le dépit de Max Buset fut grand; il comprit que la majorité absolue, née de

la socialisation de la Flandre, n'était pas encore pour demain.
C'était aussi le troisième échec du 'forcing' des nationalistes flamands. Ils perdaient 9000 voix par rapport à 1954 et, de ce fait, l'espoir de conquérir un nouveau siège. Leur unique siège (Anvers) se trouvait occupé par Frans Van der Elst. Cet avocat bruxellois avait joué un rôle prépondérant dans le 'Vlaams comité voor Federalisme'; bien vite il allait acquérir au Parlement un prestige considérable, dû, en grande partie, à sa courtoisie et à son sens démocratique de l'Etat. Les nationalistes flamands ne s'étaient pourtant pas présentés cette fois, comme cela avait été le cas en 1954, en un groupe hybride de flamingants issus de la classe moyenne, de la classe paysanne et du groupe de mécontents. Peu à peu s'était constitué, sous la dénomination de 'Volksunie', un parti qui se voulait uniquement nationaliste et populaire. Le climat de la guerre scolaire ne lui avait pas été favorable, mais l'année 1958 allait marquer la fin de ses déboires. Les années suivantes, la V.U. allait devenir, sous la direction avisée de Van der Elst et grâce à la vitalité du professeur Wim Jorissen, un parti d'opposition solidement structuré; de plus, il allait tirer grand avantage des problèmes communautaires qui allaient enfiévrer les partis traditionnels.
Dès le 23 juin, le professeur Eyskens formait le nouveau gouvernement. C'était un cabinet chrétien homogène minoritaire, qui disposait de la majorité absolue au Sénat mais n'obtint la confiance de la Chambre que grâce aux voix de deux libéraux flamands et de l'unique nationaliste. Son existence devait être brève, mais marquée pourtant par un événement historique : la conclusion d'un pacte qui fut signé, le 20 novembre 1958, par les combattants fatigués de la guerre scolaire, sous l'œil ironique du ministre de l'Instruction publique, M. Van Hemelrijck. Ainsi fut définitivement enterrée la hache de la guerre scolaire. Quinze

jours auparavant, les libéraux s'étaient ralliés au cabinet. Mais, dominés toujours par la bourgeoisie francophone, ils allaient, face à la droite flamande, faire figure d'opposants plutôt que d'alliées unis dans la même coalition. Cette droite eut à soutenir une nouvelle provocation. En effet, le 1er janvier 1960, un recensement décennal devait être organisé, avec un volet linguistique. On n'avait pas oublié l'opération négative de 1947, moins encore la contestation des résultats. Le pays flamand n'était pas prêt à se laisser duper une fois de plus. Aussi, dans des centaines d'assemblées populaires et de motions, exprima-t-il son veto. Finis les recensements linguistiques ! L'opposition fut menée par un Comité d'action flamand, créé le 14 mars 1959. Ce comité allait se révéler, durant les années suivantes, un groupe de pression redoutable, adoptant à maintes reprises des points de vue extrêmes, principalement sous la poussée de ses membres catholiques et nationalistes. Les libres penseurs du Willemsfonds et du Vermeylenfonds n'y jouèrent qu'un rôle effacé; l'autorité de ces organismes culturels était, en effet, restreinte et leur influence nulle sur les partis libéraux et socialistes.

L'allergie de ces partis à des problèmes tels que celui du recensement linguistique avait toujours été grande et le resterait. Leurs dirigeants n'entretenaient presque pas de contacts avec les intellectuels des organisations culturelles. Aussi est-ce quasi seul, qu'au Parlement, le P.S.C. flamand entreprit un combat qui atteignit son apogée en automne 1959. Le 29 octobre, les deux chefs de file de la littérature néerlandaise en Belgique, Stijn Streuvels et Herman Teirlinck, publièrent de concert un appel solennel où ils déclaraient : „Sous aucun prétexte on ne pourra toucher au droit sacré des deux communautés linguistiques d'exiger l'inviolabilité totale de leur terre natale respective".

Pareille déclaration cadrait parfaitement avec l'opposition au recensement et au danger de nouvelles spoliations terri-

toriales qui guettait la Flandre.
Le gouvernement consulta une commission de professeurs d'universités dans l'espoir d'élaborer un compromis. Les membres flamands de la commission arrivèrent à la conclusion qu'un recensement linguistique rigoureusement scientifique était impossible. Finalement, Eyskens dut se rallier à la formule d'un recensement national, amputé des questions relatives à l'emploi des langues.
Plus de 400 bourgmestres flamands avaient d'ailleurs déjà renvoyé à Bruxelles les formulaires litigieux. Ce qui ne manqua pas de provoquer quelque tumulte chez les francophones...
Au milieu de toute cette agitation, on remarqua à peine, qu'en été, le Parlement avait approuvé deux lois sur l'expansion économique; elles allaient, dans le courant des dix années à venir, contribuer énormément à l'industrialisation de la Belgique et principalement des provinces flamandes. Dans un passé encore récent, l'Etat avait, pour des raisons principalement politiques, investi des dizaines de milliards dans l'industrie minière, vieillie et condamnée; dorénavant, il aurait pour tâche de promouvoir de nouvelles industries. Le développement sensationnel de l'économie flamande allait être le résultat, non seulement de l'aide accordée par l'Etat à des entreprises de pointe, mais aussi de la politique de prospection que menaient de nombreuses administrations communales à la recherche d'investissements étrangers; y contribuèrent également les initiatives prises par les conseils économiques, la présence d'une main-d'œuvre qualifiée, un environnement non pollué encore et un climat social non perturbé. La région portuaire anversoise se mua en zoning industriel en pleine expansion; le Limbourg, Gand, Bruges, Courtrai suivirent à un rythme non moins rapide.
Ce fut également sous le gouvernement Eyskens qu'une première initiative dans la voie de l'autonomie culturelle des communautés vit le jour; la loi du 18 mai 1960 im-

posait à la radio et à la télévision des gestions séparées. Mais un projet de loi du ministre Harmel portant sur les conseils culturels, de même qu'un projet d'adaptation des sièges parlementaires n'arrivèrent pas au but final.

En été 1960, sous la pression des Etats-Unis, Eyskens se vit obligé de proclamer l'indépendance du Congo. L'opération, mal conçue, fut menée malhabilement. La Belgique était toujours restée indifférente à l'évolution de sa colonie africaine. Les milieux influents de Bruxelles étaient restés sourds aux admonestations des observateurs les engageant à pratiquer une politique d'émancipation progressive. Il fallut les incidents sanglants de janvier 1959, dans la capitale congolaise, pour émouvoir l'opinion belge. Le gouvernement, débordé, élabora en hâte un projet de passation des pouvoirs, immédiatement saboté par les groupes d'intérêts coloniaux, de sorte que la situation s'envenimait de plus en plus.
Finalement, il ne resta plus que deux solutions : lâcher la colonie précipitamment à la grâce de Dieu, ou bien imposer, pour un temps encore, une occupation militaire.
Les Américains souhaitaient une indépendance immédiate et l'opinion belge, d'autre part, frémissait à l'idée d'une guerre coloniale. Ainsi s'en remit-on à la fortune, avec le résultat que l'on sait...
Le drame laissa assez indifférent l'homme de la rue qui, après s'être échauffé sur l'exode des blancs consécutif à la mutinerie des soldats congolais, retourna à son apathie. Les milieux intellectuels flamands, eux, ne voyaient pas d'un mauvais œil le mouvement d'émancipation congolais. Par les fonctions influentes qu'ils exerçaient dans la colonie, les Flamands eurent leur rôle à jouer dans la confrontation belgo-congolaise. Le professeur d'université A.J.J. Van Bilsen, flamingant et ancien membre du Verdinaso, était le conseiller du leader congolais Kasavubu, le futur président.

Le ministre Van Hemelrijck, chargé quelque temps de mener à bien les préparatifs de l'indépendance, avant de se faire éliminer par les manœuvres des milieux coloniaux, était également flamand. Le dernier gouverneur général de la colonie, Henri Cornelis, ne cachait pas ses opinions flamingantes.
L'opinion publique socialiste et flamande tombait d'accord au moins sur un point : le refus de livrer des combats d'arrière-garde. C'était principalement dans le monde de l'establishment bruxellois francophone qu'il fallait rechercher les oppositions à une politique équilibrée, préparant le Congo à ses nouvelles responsabilités.
D'autres motifs d'accablement se préparaient encore pour le gouvernement. Déprimé par l'issue malheureuse du 'pari congolais', Eyskens songeait à démissionner, bien que n'ayant accompli que la moitié de son mandat. Mais les partis de la coalition craignaient une crise entraînant des élections sur lesquelles pèserait lourdement, à leur désavantage, la conduite maladroite de l'affaire congolaise. Eyskens accepta de rester et engagea le gouvernement dans une nouvelle voie : celle de l'assainissement des secteurs financiers et sociaux. Son plan prévoyait, entre autres, une augmentation des impôts et des restrictions budgétaires en matière sociale. L'ensemble de ces mesures prit le nom de 'loi unique'.
Contre cette loi unique, André Renard, leader syndicaliste liégeois populaire, appela aux armes le monde ouvrier. Son appel fut immédiatement entendu. La détérioration continue de l'économie wallonne avait provoqué un sourd malaise où s'étaient mis à germer d'impatientes espérances politiques et des projets de réformes économiques. L'euphorie créée par l'exposition universelle de Bruxelles, en 1958, avait, pour quelque temps, relégué à l'arrière-plan les aspects les plus aigus de la crise. Mais les causes structurelles de l'affaiblissement de l'économie wallonne demeuraient;

l'épuisement des mines de charbon, les difficultés de l'industrie de l'acier, le vieillissement de la population et de l'habitat, le manque d'infrastructure routière appropriée. Les investisseurs éventuels reculaient à la vue des horizons sinistres et des rues désertes du Borinage. Pour Renard, le dépérissement de la Wallonie était dû à la carence des pouvoirs financiers de Bruxelles. Aussi prônait-il une réorganisation fondamentale des organes de gestion économique, qui devait accorder à chaque communauté le contrôle de sa propre économie sous une direction régionale. Un seul moyen pour parvenir à ce but révolutionnaire : ébranler l'ordre établi par un conflit généralisé.
Déjà en 1956, Renard avait fait approuver par le congrès des syndicats socialistes, un rapport remarquable sur — et contre — les holdings. Quatre ans plus tard, il crut le moment venu d'entamer l'offensive, à l'occasion de la loi unique. Il mit les travailleurs en garde contre la politique déflatoire menée par le gouvernement, politique qui affaiblirait leur pouvoir d'achat et menacerait leur sécurité sociale, ainsi que leur pension. Renard escomptait, dans son action, le soutien de son ami fidèle, Auguste Cool, bon flamand et leader incontesté du mouvement ouvrier chrétien.
Le 14 décembre 1959, le roi Baudouin se maria et partit aussitôt en voyage de noces en Espagne.
Le 20 décembre furent entamés à la Chambre les débats sur la loi unique.
Le 21 décembre la grève générale fut proclamée; elle allait devenir 'la grève du siècle'.
Dès le départ, elle eut à affronter de sérieux contretemps. Elle démarra trop tôt au gré de Renard qui, surpris par l'agitation communiste, dut accélérer le mouvement. Il se heurta d'autre part à l'attitude d'expectative des centrales syndicales chrétiennes. Si l'ouvrier chrétien était de tout cœur du côté des grévistes, Cool, prudent, hésita et choisit de négocier avec le gouvernement. Le cardinal Van Roey

condamna la grève, le 23 décembre, usant ainsi pour la dernière fois de sa toute-puissance cléricale. Les démocrates-chrétiens réagirent froidement — Cool songea même à donner sa démission — mais les ouvriers catholiques n'osèrent pas affronter le cardinal, la veille de Noël. Ce fut pourtant auprès des dirigeants du parti socialiste que Renard connut sa plus grande déception.

La majorité du bureau du parti se méfiait des projets du syndicaliste wallon, car elle craignait qu'un mouvement de protestation sauvage n'aboutisse à une réforme de l'Etat dans une optique fédérale, ce qui devait mettre les socialistes de Flandre dans une position minoritaire. Un Flamand influent comme Antoine Spinoy détestait Renard, tandis qu'Achille Van Acker se défiait de ses audaces. De plus, le secrétaire général de la Fédération Générale des Travailleurs Belges, L. Major, s'était fait élire, contre la candidature de Renard, aux plus hautes fonctions du syndicat de gauche…

Ainsi le parti socialiste et bon nombre de Flamands des syndicats de gauche n'appuyaient Renard que mollement. Bien vite, Van Acker se mit en contact avec le gouvernement, afin de rechercher une base d'entente commune.

Les grévistes réussirent entre-temps à bloquer toute l'économie wallonne, de même que les activités des ports d'Anvers et de Gand. Mais Eyskens ne songea nullement à céder et s'acharna, jusqu'à épuissement, à faire passer sa loi unique au Parlement. Tandis que, dans la journée, il présidait des réunions, la nuit, il écoutait, heure par heure, les rapports relatant les actes de vandalisme et de sabotage, les incidents parfois mortels, qui menaçaient de créer en Wallonie une situation chaotique. Le 30 décembre, le roi rentra d'Espagne, plus tôt que prévu, et entama diverses consultations où Van Acker tint le rôle de conciliateur. Le 13 janvier, la loi unique fut approuvée à la Chambre. Le même jour, plus de 300 mandataires de gauche se réu-

nirent à Saint-Servais en une assemblée wallonne, où ils se prononcèrent pour l'autonomie de la Wallonie. Le lendemain, ils remirent une adresse au roi. Ce geste demeura platonique : le vote au Parlement avait porté un coup fatal à la grève qui se résorba de jour en jour et fut arrêtée le 21 janvier. Les centrales wallonnes de la F.G.T.B. ne purent cacher leur colère et leur déception. Elles imputèrent l'échec à la 'trahison' des socialistes flamands et exigèrent la réorganisation du syndicat sur une base fédérale.
Renard rompit les ponts avec le socialisme officiel après avoir insisté, mais en vain, auprès du bureau du parti socialiste pour que tous les parlementaires P.S.B. présentent leur démission collectivement. En avril 1961, il fonda le Mouvement Populaire Wallon, un groupe de pression exigeant des réformes de structures économiques et le fédéralisme politique, et qui prit pour emblème le coq gaulois rouge et or. Le 'renardisme' devint un concept, un programme combinant revendications syndicales et aspirations nationalistes.
Après la répression et le dynamitage de la Tour de l'Yser, après la question royale et la guerre scolaire, le conflit provoqué par Renard prouva, une fois de plus — bien que ne se déroulant pas sur un plan purement linguistique — les divergences de mentalité entre néerlandophones et francophones. Quoiqu'au plus fort de la grève, la bourgeoisie wallonne et bruxelloise, terrorisée, ait placé tout son espoir dans la 'fermeté du front flamand', l'impression subsistait que l'échec des travailleurs wallons était dû à la défection des Flamands. De plus en plus se dégagea l'idée de l'existence de deux peuples. Les mots étaient passés du plan de la terminologie et de la doctrine nationaliste à celui du pouvoir et des décisions nationales.

Les dernières lois linguistiques

Les élections générales du 26 mars 1961 firent perdre au parti chrétien huit sièges à la Chambre. La Volksunie en obtint cinq, tandis que les socialistes maintenaient leurs positions. Malgré les déboires de la gauche et ses attaques contre Eyskens, chrétiens et socialistes formèrent ensemble la nouvelle coalition gouvernementale, présidée par Théo Lefèvre, Gantois dynamique autant que peu conventionnel et peu commode, qui avait dirigé le P.S.C. de façon très autocratique durant onze ans. Issu d'un milieu bourgeois apprauvi, mais cultivé, il nourissait l'ambition de devenir un grand homme d'Etat. Détestant les conservateurs tant libéraux que catholiques, il avait foi en la démocratie chrétienne, croyait fermement en une Belgique unitaire et frémissait à l'idée que le P.S.C. pourrait retomber dans les erreurs du 'standenpartij' d'avant guerre. Il rêvait d'une grande coalition calquée sur le modèle du parti travailliste anglais, inspirée par l'humanisme chrétien, et qu'il comptait présider durant une douzaine d'années. Aussi crut-il trouver en P.H. Spaak l'allié idéal.
Lefèvre avait été horrifié, lorsqu'en 1958, Eyskens collabora avec les libéraux. Il ne soutint le gouvernement que du bout des lèvres et, à mesure qu'approchait le terme du mandat, il ne lui épargna plus ses critiques. En mai 1960, à l'occasion de la commémoration de Rerum Novarum, il fit un discours retentissant, où il réclamait une plus grande participation de l'Etat dans la gestion des entreprises d'intérêt public, la réforme de la fiscalité et de la sécurité sociale. Les conservateurs de la coalition en furent outrés, tandis que les socialistes accueillaient ces propos avec complaisance.
Sans tarder, le nouveau premier ministre s'attela à ses grands projets. Son intention était de liquider d'abord un nombre de problèmes qui pourrissaient depuis des années,

puis de s'attaquer à la réforme de la société. Il défendit son programme au Parlement avec beaucoup d'ardeur et n'en resta pas là. Le gouvernement passa très rapidement à l'action sur différents fronts à la fois. La régime des impôts directs fut profondément remanié. Les tentatives visant à assainir l'assurance maladie provoquèrent de vifs incidents avec le corps médical, tandis que l'opinion publique se rangeait du côté du gouvernement. Celui-ci, par ailleurs, n'avait pas à s'inquiéter du climat social. L'activité économique tournait à plein rendement; l'emploi était assuré quasi partout et les allocations sociales ne cessaient d'augmenter.

Lefèvre se rendait compte cependant qu'il n'aurait aucune chance de réaliser ses grands projets de réformes de la société, aussi longtemps qu'une solution satisfaisante ne serait pas trouvée à ce que la bourgeoisie francophone continuait à appeler 'la question linguistique' et qui, ailleurs, avait nom : réforme de l'Etat ou refonte des relations entre les communautés flamande et wallonne.

Lefèvre n'était pas un flamingant; on prétendait même qu'il n'avait pas vu d'un mauvais œil le dynamitage de la Tour de l'Yser. Mais, réaliste avant tout, il comprit fort bien qu'il n'était plus possible, en Belgique, de ramer à contre-courant, c'est-à-dire d'ignorer les nationalistes de Flandre et de Wallonie. Il avait aussi en horreur la hargne antiflamande de certains milieux bourgeois. L'unité du pays avant tout lui importait. Aussi conçut-il des mesures aptes à supprimer les frictions entre les régions linguistiques.

Il avait pour le soutenir un ministre de l'Intérieur, le très actif Bruxellois Arthur Gilson qui, loin de laisser en suspens les projets gouvernementaux, prépara, en se basant sur les conclusions du Centre Harmel, un premier projet de loi réglant la question de la frontière linguistique.

Pour Gilson, frontière linguistique et frontière administrative devaient coïncider. Quelques exceptions étaient prévues pourtant, qui laissaient la région wallonne de Mouscron-Comines rattachée à la Flandre Occidentale et les Fourons flamands à la province de Liège. Mais ces exceptions furent rejetées au Parlement. Selon les Wallons et les libéraux, le principe de l'unilinguisme des régions devait être appliqué strictement. Modifié en ce sens, le projet fut approuvé par la Chambre, ainsi que par le Sénat, huit mois plus tard.

Entre-temps Bruxelles avait été le théâtre de manifestations flamandes de masse. Par deux fois, c'est-à-dire, le 21 octobre 1961 et le 14 octobre 1962, plus de cent mille Flamands marchèrent sur la capitale, afin d'y manifester, dans les rues du centre, contre l'extension de l'agglomération et pour l'instauration du bilinguisme à Bruxelles, pour la suppression du recensement linguistique etc. Si, lors de la première 'marche sur Bruxelles', des dizaines de parlementaires flamands de droite prirent la tête du cortège, ils furent moins enthousiastes lors de la seconde manifestation. Du côté flamand, en effet, on avait discrètement attiré l'attention des organisateurs sur les dangers d'une politique de provocation. Certains journaux qui, jusque là, avaient solidement appuyé le 'comité d'action' l'incitèrent à la modération. Mais les organisateurs s'en tinrent à leur intransigeance.

La seconde manifestation se déroula dans un climat particulièrement agité. La crainte des observateurs modérés n'avait pas été vaine. La population bruxelloise, pour qui la première 'marche' n'avait été qu'une de ces nombreuses manifestations auxquelles une capitale ne peut échapper, en considéra la deuxième édition comme une provocation. Elle s'imagina que les non Bruxellois voulaient s'immiscer dans la gestion de leur ville et décider de son avenir. D'abord indifférent aux questions linguistiques, le Bruxellois moyen allait prendre parti avec virulence. De cette réaction purement sentimentale où se mêlaient réflexes agressifs et défensifs, certains politiciens allaient profiter habilement pour créer, quelques années plus tard, le Front des Francophones qui allait devenir le parti politique le plus puissant de la capitale.

Les événements d'ailleurs allaient lui être favorables.

Quand la loi du 8 novembre 1962 fixa la frontière linguistique, l'opinion publique ne s'y trompa pas. Entre la Flandre et la Wallonie se dressait désormais plus qu'une frontière linguistique : une démarcation officielle, une sorte de barrière politique. Et Bruxelles sentit que cette barrière menaçait son extension géographique.

Ce souci des Bruxellois de sauvegarder les possibilités d'expansion de la région bilingue se fit jour également lors de l'élaboration de la deuxième loi linguistique du ministre Gilson, qui réglait l'emploi des langues dans l'administration publique et la vie économique. Là aussi, le gouvernement se heurta, tant à une opposition parlementaire, qu'à des pressions extérieures.

La loi du 28 juin 1932 imposait à l'agglomération bruxelloise le bilinguisme administratif. Personne, au Parlement, ne songea à remettre en question ce principe; tout au plus certaines stipulations en seraient-elles définies et complétées en faveur des Flamands. Mais la question était de savoir si le bilinguisme devait être introduit dans les communes périphériques flamandes, où s'étaient établis des groupes considérables de francophones. En effet, cette infiltration progressive de non néerlandophones était devenue un phénomène sociologique et politique important. Le point de vue de beaucoup de francophones se ramenait à ceci : grâce à notre supériorité numérique, instaurer dans les communes du Brabant flamand un régime comparable à celui de Bruxelles, c'est-à-dire disposer d'écoles françaises et de fonctionnaires communaux francophones. Ce fut le phénomène de la 'tache d'huile' qui provoqua tant d'irritation en Flandre, pour la bonne raison que, du côté wallon,

on avait toujours exigé des immigrants flamands au sud de la frontière linguistique une assimilation rapide, qui préservait l'unilinguisme de la Wallonie.
Dans leurs publications, divers auteurs flamands mirent l'accent sur le fait qu'en 1846, Bruxelles comptait encore 66 p.c. de néerlandophones, en 1920, 37 p.c. et en 1947, 24 p.c. seulement, rappelant que ce processus d' 'absorption' des Flamands dans la capitale se poursuivait sous la pression des milieux francophones, économiquement plus influents.
Ne négligeant pas l'hypothèse que Bruxelles un jour devienne une ville française, les Flamands rejetèrent toute concession dans les discussions engageant le destin de la périphérie, dans la crainte que les communes flamandes, dotées d'un statut bilingue, ne soient fatalement entraînées dans le tourbillon francophone de la capitale et que le phénomène ne s'étende de plus en plus. A Gilson, confronté avec les Bruxellois francophones exigeant des 'facilités' pour les francophones dans au moins onze communes flamandes de la périphérie, les Flamands répondirent non, au risque de provoquer un court-circuit dans la coalition gouvernementale.
Théo Lefèvre essaya de trouver un compromis en divisant le trop grand arrondissement administratif de Bruxelles en un arrondissement unilingue flamand (l'arrondissement de Hal-Vilvorde) et un arrondissement bilingue de Bruxelles Capitale qui, au lieu des 19 communes, en engloberait 25 au total, par l'annexion des communes flamandes de Wemmel, Crainhem, Linkebeek, Drogenbosch, Rhode-St.-Genèse et Wesembeek-Opphem, avec la garantie que ce serait là la dernière extension de la capitale.
En Flandre, cette proposition fit l'effet d'une estocade en pleine chair, preuve de la vigueur avec laquelle s'était enraciné en elle le sentiment national : l'opinion se refusait à envisager encore le problème de la langue sous l'angle

de l'emploi individuel; elle s'était ralliée à la notion de 'communauté' et sensibilisée à la crainte de voir porter atteinte à l'intégrité de son territoire.
Jos De Saeger, président de l'aile flamande du P.S.C., ne laissa subsister aucun doute à ce sujet : son groupe rejetait le compromis. Là-dessus, Lefèvre présenta au roi sa démission, qui fut refusée.
On prétendit, par la suite, que ce n'était qu'un coup monté, une manœuvre destinée à faire pression sur les parlementaires flamands de la majorité. Ce n'est pas impossible...
Le 5 juillet 1963, quelques jours après la pseudo-crise gouvernementale, Lefèvre convoqua les dirigeants de la coalition au 'conclave de Val Duchesse' dans le but de sortir de l'impasse à tout prix.
Dans le castel historique, au cœur même de l'agglomération bruxelloise, un compromis fut effectivement signé, bien que De Saeger y eût défendu avec acharnement une contre-proposition qui lui avait été inspirée par le député chrétien J. Verroken. Cette contre-proposition visait à procéder à un remaniement territorial de l'agglomération limitée aux seuls quartiers périphériques à prédominance francophone. Mais elle fut rejetée et, finalement, on se mit d'accord sur la scission de l'arrondissement administratif de Bruxelles, projet qui avait déjà été proposé auparavant par le gouvernement; les six communes périphériques cependant ne seraient pas rattachées à la capitale, mais formeraient un arrondissement séparé, où seraient accordées aux francophones des écoles primaires françaises et des 'facilités' sur le plan communal.
La conférence de Val Duchesse ne fut pas favorablement accueillie par l'opinion flamande; celle-ci vit dans la procédure d'accueil un pas de plus en faveur du bilinguisme et de la francisation. La droite flamande, qui signa les accords 'la mort dans l'âme', tenta timidement de les défendre en insistant sur l'aspect positif du compromis, à savoir : la

néerlandisation de la vie économique en Flandre, la création d'une commission permanente de contrôle linguistique, la nomination d'un vice-gouverneur du Brabant, qui avait dans ses attributions la stricte application des lois linguistiques à Bruxelles et dans les communes phériphériques. Aussi est-ce dans une ambiance de malaise que le texte fut approuvé par le Parlement le 2 août 1963 et promulgué sous forme de loi.

Le 'Vlaams actiecomité' annonça une troisième marche sur Bruxelles pour l'automne suivant, mais cette fois les objections des Flamands modérés pesaient si lourd que le projet avorta. Pourtant, le 10 novembre, le comité mettait sur pied, à Anvers, une manifestation de masse en faveur du fédéralisme et de la 'démocratisation de l'économie'. Pour les progressistes du comité, c'était aller trop vite en besogne, car dans les rangs flamands aucune unanimité ne s'était encore faite sur ces problèmes. Le seul résultat de la manifestation fut le coup mortel porté à ce comité d'action qui, en son temps, n'avait pas été sans mérite.

L'agitation menée autour des communes phériphériques avait fait oublier l'essentiel, à savoir que la Belgique était désormais légalement divisée en quatre régions linguistiques : la région néerlandaise, française, allemande et la région bilingue de Bruxelles Capitale. L'image de l'état unitaire commençait à s'effriter...

Sous le gouvernement Lefèvre parut une troisième loi linguistique, celle du 30 juillet 1963, réglant l'emploi des langues dans l'enseignement. Elle stipulait, entre autres, que dans les écoles bruxelloises, les enfants suivraient l'enseignement dans la langue maternelle ou usuelle; chaque chef de famille, lors de l'inscription de l'enfant, se voyait obligé de signer une déclaration linguistique, déclaration contrôlée par un inspecteur. Ces stipulations hérissaient considérablement l'opinion francophone, qui y vit une atteinte à la

liberté du père de famille. L'affaire devait s'envenimer les années suivantes.
Enfin, le cabinet Lefèvre résolut encore le problème de l'adaptation de sièges parlementaires, problème en suspens depuis tant d'années, remis à l'avant-plan par les Flamands depuis 1954, qui en avaient fait une de leurs exigences prioritaires. Longtemps les Wallons s'y étaient farouchement opposés, l'adaptation des sièges renforçant encore la supériorité numérique des Flamands. Le gouvernement réussit alors à faire accepter un modus vivendi.
Les Wallons, comprenant que la résistance était anti-démocratique et intenable, avaient exigé l'insertion dans la Constitution d'une formule de garantie, neutralisant le danger d'un éventuel abus d'autorité des Flamands au Parlement. Le gouvernement consentit à cette demande, ce qui dissipa les objections wallonnes. Aussi, sans autres difficultés, la loi sur l'adaptation des sièges parlementaires fut-elle approuvée en mars 1965. Des quatre sièges que perdait la Wallonie à la Chambre, trois allèrent à la Flandre, un à Bruxelles. Auparavant, les deux partis gouvernementaux avaient promis de préparer des garanties constitutionnelles contre la 'minorisation', exigées par la Wallonie. Ce fut là le résultat de conversations importantes connues dans l'histoire sous le nom de 'Conférence de la Table Ronde de 1964'. Vue dans une perspective plus large, cette conférence a été plus décisive pour l'avenir de l'Etat belge que toutes les lois linguistiques.

Sous le régime Lefèvre surgit, bien qu'un peu en marge, une autre difficulté : l'épineuse question de Louvain. Quand, en 1961, le ministre Gilson avait élaboré la législation linguistique, qui visait à néerlandiser les services publics en Flandre, certains francophones des provinces flamandes avaient protesté. Ce fut le cas à Anvers, Gand, Courtrai, mais la bourgeoisie francophone ne disposait plus du pouvoir politique dans ces centres et, encore moins, d'arguments convaincants pour le maintien du bilinguisme. A Louvain, la situation se présentait différemment. La grande université catholique comptait des milliers de professeurs et d'étudiants, un personnel administratif et technique non moins important; la moitié d'entre eux était francophones. Dans la petite cité, ce groupe francophone formait une colonie impressionnante et jouissait d'un prestige certain. Il revendiquait le droit à un régime francophone propre, aussi bien sur le plan communal que sur le plan de l'enseignement prodigué à ses enfants. Du côté flamand, on y opposait que des intellectuels francophones, hôtes d'un ville flamande, pouvaient bien consentir l'effort d'apprendre le néerlandais.

Le gouvernement céda cependant sur la question des classes françaises et instaura dans les administrations un service de traduction. En Flandre, certains alors se demandèrent s'il ne serait pas souhaitable de transférer la section française de l'université en Wallonie. Les autorités religieuses — pouvoir organisateur de l'université — tout en maintenant le principe de la coexistence des deux sections linguistiques, se déclarèrent prêts à envisager le principe de l'essaimage des candidatures, qui ferait peser d'un poids moins lourd sur la ville la croissance constante de la population estudiantine. Peu après, on décentralisa, en effet, quelque peu l'université, tout en la maintenant sous l'autorité d'un seul recteur.

A la fin du gouvernement Lefèvre, tout le monde sentit que le problème n'était pas résolu pour autant.

...En fait, aucune loi linguistique n'avait rien résolu de fondamental. Toutes avaient été approuvées par de larges majorités, mais jamais on n'était allé au fond du problème.

La préparation de la réforme de l'état

Ce fut le grand mérite de Théo Lefèvre d'avoir compris, après un an de présence au gouvernement, que l'ère des lois linguistiques tirait à sa fin. Les projets de lois annoncés allaient, après étude, être approuvés et promulgués. Mais, aux yeux du premier ministre, il ne s'agissait là que de solutions superficielles. Il fallait voir plus loin. Il était essentiel de trouver un nouveau mode de vie pour les communautés néerlandophone et francophone de Belgique. Il n'était plus question, dorénavant, de l'emploi des langues en matière administrative, mais d'une revision des institutions et de la Constitution.

La droite flamande aussi bien que la gauche wallonne, les deux piliers de la coalition gouvernementale, se déclarèrent d'accord à ce sujet.

En avril 1962 et à la demande du premier ministre, un groupe de travail entreprit de préparer cette revision, conscient qu'il s'agissait là d'une tâche de longue haleine, requérant une extrême prudence. En octobre 1963, ce groupe de travail remit un rapport de synthèse au gouvernement, qui le soumit à la direction des partis chrétien, socialiste et libéral, en leur confiant le soin d'élaborer un compromis acceptable par les deux communautés. Les trois partis donnèrent suite à sa demande et constituèrent une Table ronde, qui se réunit tout au long de l'année 1964. Jusque peu avant la fin des pourparlers, les trois partenaires restèrent unis. Mais, en janvier 1965, le parti libéral renonça à sa collaboration, sous la pression de son aile bruxelloise, hostile à toute proposition portant délimitation de l'agglomération. Les négociateurs chrétiens et socialistes prirent acte de ce qui leur parut une dérobade et signèrent peu après un accord, qui fut ratifié, le 13 février, par les plus hautes instances de leur parti. Le 3 mars, à la veille de la dissolution des Chambres, le gouvernement fut en mesure d'in-

troduire et de faire approuver un projet de déclaration pour la revision de la Constitution.
Ainsi débuta un nouveau chapitre de l'histoire des institutions belges.

Les élections du 23 mai 1965 furent pour Théo Lefèvre une amère désillusion : le parti chrétien perdit 19 sièges à la Chambre et le parti socialiste 20.
Le parti libéral (Parti pour la Liberté et le Progrès) avait, en 1961, et sous l'impulsion de son nouveau président, Omer Vanaudenhove, renoncé à son anticléricalisme désuet et tenté, avec succès, une ouverture vers la droite catholique, ce qui porta son effectif de 20 à 48 sièges; 12 sièges revinrent aux nationalistes de la Volksunie; d'autres sièges furent répartis parmi les petits groupes de l'opposition. Ainsi les communistes en gagnèrent un; deux allèrent à des radicaux wallons et le Front des Francophones, nouvelle formation bruxelloise, en obtint trois. Comme il manquait au P.S.C. et aux socialistes réunis une voix pour obtenir la majorité indispensable des deux tiers, il leur fut impossible de procéder à la revision de la constitution sur base de l'accord conclu lors de la Table Ronde. Un gouvernement tripartite s'imposait : Harmel, le formateur, s'attela à la tâche, mais se heurta au refus des socialistes wallons qui préféraient une cure d'opposition pour mieux panser leurs blessures. Les libéraux, de leur côté, rejetaient toute coalition avec les socialistes. Après une crise gouvernementale qui dura plus de deux mois, Harmel n'eut d'autres ressources que la reconduction de l'ancienne coalition de chrétiens et de socialistes. L'accord gouvernemental fut approuvé par la majorité du congrès socialiste, mais 64 p.c. des socialistes wallons votèrent contre.
Harmel ne devait rester que six mois au pouvoir. Aussi le bilan de ses réalisations, sur le plan communautaire, fut-il plutôt maigre. Le cabinet proposa la mise en place d'une

commission pour l'amélioration des rapports entre les communautés linguistiques, proposition qui, cependant, ne prendrait véritablement forme que sous le gouvernement suivant. Le ministre Fayat fit approuver une loi hâtant l'incorporation des Flamands dans les services diplomatiques, tandis qu'au sein des partis gouvernementaux, les ailes flamandes et wallonnes s'attribuèrent une plus grande autonomie.

Quant au P.L.P., il choisit une autre voie. Lors d'un congrès tenu à Liège, en janvier 1966, il se déclara partisan d'une Belgique unitaire et hostile „au renforcement de tout dualisme contraire à l'évolution historique du pays". Un compromis linguistique y fut approuvé, qui satisfaisait principalement les exigences des Wallons et des Bruxellois. Si le principe de l'unilinguisme des régions était reconnu, les propositions concrètes du compromis s'en écartaient considérablement. C'est ainsi que fut proposé le retour des Fourons à Liège, avec comme contre-partie le retour éventuel de Comines à la Flandre Occidentale. De plus, on tentait d'atténuer la rigueur des dispositions légales imposant l'emploi du néerlandais dans le monde des affaires et de réintroduire en Flandre les classes de transition françaises, supprimées par la législation de 1963. Le P.L.P. proposait encore de rattacher à l'agglomération, et ce en 1971, les six communes périphériques flamandes de Bruxelles, avec création d'une zone d'accueil plus large à statut bilingue limité.

Ce programme d'Omer Vanaudenhove visait incontestablement un renforcement de la structure unitaire de la Belgique et offrait une alternative qui allait à l'encontre des tendances régionalistes. Au sein du 'Liberaal Vlaams Verbond', le complément politique du Willemsfonds, le compromis de Liège suscita des mouvements en sens divers, mais les parlementaires flamands du P.L.P. suivirent leur chef, devenu, depuis sa victoire électorale, le leader incontesté du parti.

En février 1966, les socialistes wallons parvinrent à faire

sauter la coalition. Ils prétextèrent d'un désaccord bénin sur l'assurance maladie pour faire tomber le cabinet Harmel et passer dans l'opposition.

Les derniers jours du gouvernement furent encore assombris par des incidents dramatiques. A Zwartberg, où des mineurs limbourgeois manifestaient contre la fermeture prochaine de la mine, deux travailleurs furent tués par la gendarmerie. L'agitation prouva que le bien-être qui s'installait effectivement dans le pays flamand, n'était pas sans susciter angoisses et incertitudes, principalement dans les régions agraires à familles nombreuses, où l'implantation industrielle rapide, autant que la reconversion des industries anciennes, posaient parfois de gros problèmes d'adaptation humaine et sociale.
Zwartberg précipita la chute du gouvernement qui, de toute façon, était condamné, à cause de la division du parti socialiste, déjà à moitié désengagé. Le P.S.B., en effet, n'était pas prêt à supporter l'impopularité des mesures imposées par une situation financière défavorable; de plus, il se trouvait paralysé par les réflexes antigouvernementaux de son aille wallonne. Quand, une première fois, Harmel offrit sa démission, le roi la refusa dans une lettre sévère qui fut rendue publique, et dans laquelle le chef de l'Etat regrettait que l'exercice du pouvoir, depuis de nombreuses années déjà, fût systématiquement sapé. L'admonestation rappelait celles de Léopold III, avant guerre. Mais rien n'y fit. Les socialistes wallons voulaient se retirer coûte que coûte...
Harmel, qui s'était fait fort de réaliser une Belgique nouvelle en attendant son intégration — endéans les 20 ans — dans une Europe unie, échoua assez lamentablement.
Son gouvernement était comparable à un wagonnet cahotant accroché au convoi et destiné à dérailler au premier aiguillage.

Le nouveau train qui se forma rue de la Loi, était d'un bleu-jaune flambant neuf et conduit par de jeunes machinistes aux allures de managers.
Le premier ministre, Paul Vanden Boeynants, s'était révélé, comme ministre et, ensuite, comme président du Parti Social Chrétien, capable de décisions rapides. Bruxellois bilingue, d'origine flamande, et homme d'affaires jovial et prospère, Vanden Boeynants était l'homme du centre et des compromis, n'aimant, ni les discussions idéologiques, ni les problèmes linguistiques. Il possédait l'art d'écouter et de découvrir rapidement le nœud du problème. Partisan du bilinguisme généralisé et désireux d'atténuer les contrastes existant entre les communautés, il personnifiait, avec plus de chaleur et de souplesse qu'un Omer Vanaudenhove, l'idée de l'unité belge, ce qui ne l'avait pourtant pas empêché, en tant que président de parti, de tolérer une certaine liberté de manœuvre de la part des ailes flamande et wallonne. A son estime, il suffisait d'un peu de bonne volonté pour venir à bout de toutes les difficultés. Des temps à autre cependant, il lui était arrivé de sous-estimer les problèmes qui agaçaient Flamands et Wallons, mais sans que cela ait provoqué un court-circuit fatal, quand il présidait aux destinées du parti.
Son vice-premier ministre, le Gantois libéral Willy De Clercq, partageait à peu près ces qualités et ces défauts, tout en répudiant la foi de Vanaudenhove en la pérennité des symboles belges. Son ambition le portant à briguer au P.L.P. le rôle de leader des libéraux flamands, l'incitait à la prudence dans le débat communautaire.
L'opinion flamande suivait la formation du cabinet avec des sentiments mitigés. Malgré l'opposition de leurs partenaires wallons, on aurait pu croire les socialistes flamands favorables à la reconduction de l'ancienne coalition gouvernementale, quand Achille Van Acker, président de la Chambre, accepta la tâche de formateur. Mais celui-ci dut renoncer devant les exigences du parti chrétien réclamant

pour lui le poste de premier ministre. Formateur à son tour, le chrétien-démocrate flamand P.W. Segers échoua également. Finalement, Vanden Boeynants risqua sa chance, mais les socialistes réagirent avec froideur. On apprit bientôt qu'ils étaient prêts à collaborer avec le parti chrétien, mais non pas avec son président. C'était pour le parti un affront difficile à avaler; aussi donna-t-il le feu vert, sans grand enthousiasme cependant, pour une coalition avec les libéraux, sous la direction de Vanden Boeynants.
Le premier but que le nouveau gouvernement s'assigna fut l'assainissement des finances publiques et la lutte contre la stagnation de l'économie. On s'attela sans tarder à la réalisation de ce programme, avec un sens très développé des relations publiques. Le gouvernement se fit octroyer les pleins pouvoirs afin de promouvoir l'expansion, d'affermir l'équilibre budgétaire et de porter aide aux régions les plus déshéritées. Ces pleins pouvoirs furent mis à profit pour moderniser le marché des capitaux, revaloriser la fonction publique et accentuer le contrôle des dépenses de l'Etat. Un accord sur l'assurance maladie fut conclu avec le corps médical et la rationalisation des dépenses de l'enseignement fut entamée. Le gouvernement, véritable cabinet d'affaires, aurait certainement pu, en des temps plus favorables, mener à terme son mandat, à la satisfaction générale; mais emporté dans le tourbillon des tensions intercommunautaires, il allait s'en tirer avec beaucoup moins de doigté.
Dès le départ, le premier ministre avait confié tout le dossier de la réforme de l'Etat à la Commission pour l'amélioration des rapports intercommunautaires, commission qui, déjà prévue sous le gouvernement Harmel, avait été effectivement installée depuis. Par la même occasion, il avait proclamé une sorte de trêve, mettant fin aux polémiques, jusqu'à ce que la Commission puisse présenter ses conclusions. Le but était de permettre à la commission de consulter, et ce en toute sérénité et discrétion, le plus grand

nombre de personnes ou de groupements, tandis que s'estomperaient quelque peu les antagonismes les plus aigus. Ce ne fut pas un trop mauvais calcul, les délibérations se déroulant dans un climat détendu; aussi la Commission put-elle prendre un grand nombre d'avis. Le gouvernement avait cependant négligé quelques facteurs, tels que la volonté ferme des professeurs francophones de Louvain de s'implanter de plus belle dans le Brabant flamand et l'absence de sens politique de l'épiscopat catholique.
Les professeurs francophones qui, sous le gouvernement Lefèvre, avaient obtenu le privilège des classes françaises et des services francophones à l'administration communale, forts de leurs droits acquis, souhaitaient étendre davantage encore le bilinguisme et imposer à la ville une régime comparable à celui de Bruxelles.
Le 3 novembre 1965, le journal estudiantin ' L'Ergot' publia une interview du professeur Woitrin, secrétaire général wallon de l'université, déclarant que Louvain constituait une des pointes du triangle académique du Grand-Bruxelles de l'avenir. Ces paroles suscitèrent beaucoup d'inquiétude dans une opinion flamande, déjà anxieuse de la menace que Bruxelles faisait peser sur le Brabant : voilà qu'un groupe de Wallons prétendait, maintenant, ériger la ville universitaire flamande en ouvrage avancé de la francisation! Aucun Flamand n'approuva les déclarations de Woitrin. La réaction se concrétisa dans le fameux cri : „Walen buiten". Les étudiants flamands adoptèrent le chant du réveil négro-américain : „We shall overcome".
Un important groupe de professeurs flamands, présidé par le juriste anversois R. Derine, prit la défense de l'université catholique néerlandaise, exigeant son autonomie et le transfert de la section française en Wallonie, exigence qui fut fortement appuyée par la presse et soutenue, le 14 décembre, au Parlement, par la droite flamande. Quelques jours plus tard, les évêques chargèrent une commission composée de

professeurs flamands et wallons, d'étudier les structures de l'université. En avril 1966 (le cabinet Vanden Boeynants n'avait que quelques semaines d'existence), la commission remit son rapport. L'unanimité n'avait pu se faire sur l'expansion géographique de l'université. Tandis que les membres wallons rejetaient radicalement toute forme de transfert, les Flamands, quant à eux, considéraient la transplantation des candidatures francophones comme une solution minimale. Qu'allait décider l'épiscopat ?

Le 13 mai 1966, un mandement épiscopal apporta la réponse. L'Eglise proclamait l'unité de l'université, en accordant que des candidatures néerlandaises et françaises pourraient être transférées graduellement en-dehors de Louvain, mais il n'était nullement question d'un départ de la section française. Les Flamands se cabrèrent en apprenant le contenu du mandement; le ton les décontenançait. C'était encore et toujours l'ancienne voix préconciliaire et autoritaire, qui n'admettait, ni contestation, ni participation. Rome avait parlé. Le Flamand n'avait qu'à écouter, se taire, et obéir. Il en avait toujours été ainsi par le passé, demain il en irait de même. Ce fut, de la part des évêques, une erreur irréparable.

L'opinion flamande refusa de se laisser amadouer par les concessions qu'on voulait bien lui faire, telle la nomination de deux prorecteurs, et ne retint qu'une seule chose : à son sommet l'université resterait une et indivisible et les francophones continueraient à franciser la ville de Louvain.

Le „We shall overcome" retentit plus fort que jamais. Les étudiants, descendus dans les rues, se mirent à les dépaver. Les motions pleuvaient tout comme à la belle époque du Mouvement flamand. Les rédacteurs en chef de revues influentes, telles que 'Streven' en 'Kultuurleven', respectivement un jésuite et un dominicain, exigèrent des excuses de la part des évêques. L'aile flamande du parti social-chrétien se cabra, épouvantée par la maladresse de l'épis-

copat. Le 17 mai, Jan Verroken, président de la fraction flamande du P.S.C. à la Chambre, déposa une proposition de loi visant à étendre aux universités le principe appliquant à l'enseignement la langue de la région, ce qui impliquait le transfert de Louvain-français en Wallonie.
L'opinion flamande accueillit avec satisfaction le dépôt de la proposition de loi, tandis que Bruxellois francophones et Wallons condamnaient l'initiative en termes violents. Verroken devint la bête noire.
Le 28 juin, la majorité de la Chambre refusa la prise en considération de la proposition. Presque tous les francophones votèrent contre; ils eurent l'appui des libéraux flamands. Le 6 juillet, le Sénat refusa à son tour de prendre en considération la même proposition; il y eut défaut de voix : 79 oui, 79 non et 3 abstentions. Le premier ministre Vanden Boeynants, qui s'était lui aussi abstenu, annonça, après le vote, que le problème de l'emploi des langues à l'université serait débattu dans une commission politique pour l'expansion universitaire, de même que dans la commission nationale pour les relations communautaires.
Les évêques qui, dans la rue, s'étaient faits conspuer par des étudiants et des écoliers excités, revinrent quelque peu sur leur position les mois suivants. Le professeur flamingant P. De Somer fut nommé prorecteur de Louvain-néerlandais et le professeur flamingant E. Leemans devint commissaire général de toute l'université. Mais la situation n'en resta pas moins tendue.
En 1967, les partis adoptèrent des positions régionales plus tranchées, car la prise de conscience nationale des Flamands et des Wallons s'affirmait de plus en plus clairement. C'est ainsi que, lors de leur congrès de Tournai et de Verviers, les socialistes wallons mirent l'accent sur leur désir d'autonomie régionale et que, lors de leur congrès de Klemskerke, les socialistes flamands émirent eux aussi des opinions assez régionalistes.

Les instances supérieures du P.S.C. se prononcèrent pour une décentralisation du pouvoir politique vers les provinces, ce qui était un premier pas dans la voie de l'autonomie régionale. Le 5 novembre 1967, à Anvers, une manifestation de masse réclama l'élaboration d'un programme d'urgence dont le premier point avait trait au transfert de la section française de l'Université de Louvain en Wallonie. Dans le cortège défilèrent des parlementaires catholiques, socialistes et nationalistes.

C'est dans ce climat explosif que, le 2 janvier 1968, l'éminent professeur francophone P. de Visscher lança sa bombe. Dans une interview accordée au journal 'La Libre Belgique', il proclama que la section française ne quitterait pas Louvain. Tout de suite après et apparemment pour confirmer cet engagement formel, le conseil académique de Louvain-français publia son projet d'expansion, axé sur le maintien à Louvain d'une université française complète.

La réaction flamande ne se fit pas attendre. Le conseil académique de Louvain-néerlandais opposa son veto catégorique aux plans de la section française. Les étudiants et la population scolaire se mirent en grève, dans toute la Flandre. Le 2 février, l'évêque de Bruges reconnut publiquement: „Notre mandement de mai 1966 a été une déclaration malheureuse; je n'ai jamais eu l'intention de m'opposer à l'émancipation et au développement du peuple flamand". Ce qui signifiait également la rupture au sein de l'épiscopat, où les évêques flamands s'opposaient à présent aux évêques wallons. Le cardinal fut impuissant à concilier les divergences. Verroken, appuyé par la droite flamande tout entière, annonçait une interpellation au gouvernement. Il exigeait du premier ministre une déclaration claire au sujet de Louvain, non pas dans l'intention de provoquer la chute du gouvernement, mais il escomptait que Vanden Boeynants, avec son habileté coutumière, trouverait une solution satisfaisante pour les Flamands.

Le conflit provoqua une vive émotion dans l'opinion publique. A Louvain et ailleurs, des meneurs estudiantins, lors d'assemblées populaires agitées, élargirent la base de la discussion. De jeunes gauchistes s'attaquèrent à l'establishment bourgeois, reprochant à l'autorité académique d'être la gardienne d'une université de classe. A leurs yeux, le transfert permettrait aux Wallons de se doter d'une université propre, plus populaire.
Le premier ministre, cantonné dans une neutralité prudente, donna l'impression de sous-estimer la crise : il partit même, à la fin janvier, se reposer une semaine aux Canaries. Espérait-il que, durant son absence, le cardinal trouverait un compromis ? Quoi qu'il en fût, Vanden Boeynants dut bien constater à son retour que la situation était désespérée. Les évêques wallons et les catholiques francophones s'opposaient farouchement au transfert. Quant au partenaire libéral du gouvernement, il était prêt à souscrire au transfert... après un accord unanime de l'épiscopat.
Le 6 février eut lieu devant une Chambre archicomble, l'interpellation de Verroken. Le député flamingant demanda au gouvernement une déclaration motivée au sujet du transfert et se fit le défenseur d'une législation linguistique étendue à l'enseignement supérieur, ce qui impliquait le dédoublement de l'Université libre de Bruxelles en deux sections autonomes et la transplantation progressive de Louvain-français en Wallonnie. Maurits Coppieters interpella dans le même sens, au nom de la Volksunie.
Vanden Boeynants différa sa réponse d'un jour. Avant la déclaration définitive à la Chambre, la réponse du premier ministre fut communiquée à la fraction flamande du P.S.C., mais comme elle ne garantissait pas le transfert à terme, le P.S.C. flamand la déclara inacceptable. Les ministres P.S.C. flamands restèrent solidaires de leur groupe et allèrent en informer Vanden Boeynants.
Peu après, ce fut un premier ministre visiblement découragé

et aigri qui fit son entrée à la Chambre pour y annoncer d'une voix étouffée qu'il allait présenter au roi la démission du gouvernement.
C'était la première fois que la droite flamande faisait tomber un gouvernement sur une revendication essentiellement flamande.

La crise gouvernementale fut longue. D'abord on tenta de recoller les morceaux, mais bien vite il apparut impossible de s'appuyer sur les Chambres sortantes. Socialistes et libéraux exigèrent des élections anticipées, escomptant que les chrétiens, fortement divisés à présent au sujet de Louvain, se présenteraient en frères ennemis devant l'électeur, ce qui ne pouvait tourner qu'à l'avantage de leurs adversaires. De fait, l'image qu'offrait le P.S.C. était bien sombre, la solidarité chrétienne ayant cessé de cimenter le parti. Sous les injures de „Walen buiten", les francophones, excédés, jurèrent de prendre dorénavant leurs distances vis-à-vis de leurs collègues P.S.C. flamands. Bien que ne se félicitant pas de la rupture, l'aile flamande comprit que, plus que jamais, le vent, en Flandre, était à l'autonomie et que toute concession aux francophones serait mal accueillie.
Avant sa dissolution, le Parlement fit encore en sorte que les Chambres suivantes soient également compétentes en matière de revision de la Constitution.
Les résultats électoraux du 31 mars 1968 furent catastrophiques pour les partis traditionnels. Le C.V.P./P.S.C., car c'est ainsi qu'on appellerait désormais ce parti, perdit huit sièges à la Chambre, les socialistes six sièges et le parti libéral qui, avec tout le pathos nécessaire avait joué la carte belgiciste, échoua dans ses tentatives de percée; il perdit même un siège, non sans se faire malmener sous l'apostrophe de „peste pour la Flandre"*.

* Jeu de mot avec l'appellation néerlandaise de ce parti (*P*artij voor *V*rijheid en *V*ooruitgang = *P*est *V*oor *V*laanderen) (N.D.T.).

Les élections par contre, assurèrent le succès des radicaux. Les nationalistes de la Volksunie passèrent de 12 à 20 sièges à la Chambre. Le Front des Francophones bruxellois obtint cinq sièges et les fédéralistes du Rassemblement Wallon sept. Seuls les communistes perdirent un siège. Le glissement de voix le plus spectaculaire eut lieu à Bruxelles où des dizaines de milliers de socialistes passèrent dans les rangs du F.D.F. Chez les socialistes s'était en outre opérée une scission au sein de leur fédération bruxelloise, car les parlementaires flamands, évincés des listes de candidats par leurs collègues francophones, s'y présentaient séparément, sous le vocable de 'rode leeuwen' (les lions rouges); ainsi purent-ils maintenir leurs positions grâce au soutien de la région périphérique brabançonne. Ce fut avec une certaine surprise qu'on vit en Flandre la Volksunie détrôner le parti libéral et devenir le troisième parti. La seule consolation pour les catholiques fut le brillant succès personnel remporté par le premier ministre démissionnaire, qui s'était présenté à Bruxelles à la tête d'un cartel de Flamands et de francophones.

Ces élections firent apparaître que le corps électoral s'était radicalisé davantage encore. Aussi bien en Flandre qu'en Wallonie et à Bruxelles, les soi-disants partis linguistiques avaient décroché un grand nombre de voix. Tout ceci n'empêchait pas cependant le bloc des trois partis traditionnels de rester très puissant, puisqu'il recueillit encore près de 80 p.c. des voix.
Vanden Boeynants qui s'était révélé aux élections l'homme politique le plus populaire, semblait prédestiné, malgré son échec dans la question de Louvain, à former un cabinet d'union nationale. En effet, la revision de la constitution était à présent le problème fondamental, requérant une majorité de voix des deux tiers que ne pouvait assurer une alliance bipartite.

Après l'examen de diverses formules, et après l'échec d'un premier formateur, Collard, président du parti socialiste, ce fut effectivement Vanden Boeynants qui se vit chargé de former le nouveau gouvernement. Il élabora une programme basé en partie sur les conclusions de la Table ronde et qui prévoyait également, pour les Flamands, un règlement satisfaisant de la question de Louvain. Le programme fut cependant rejeté par les Bruxellois francophones du P.L.P. Les démocrates-chrétiens en conclurent que les libéraux, étant des alliés peu sûrs, il ne leur restait plus qu'à entamer les pourparlers avec les socialistes. Ces pourparlers aboutirent à un accord gouvernemental, mais, fidèle à la promesse faite au P.L.P. de ne pas entrer au gouvernement sans lui, en échange du soutien libéral dans la politique communale bruxelloise, Vanden Boeynants refusa de présider le cabinet; d'ailleurs, à son avis, son coalition tripartite la revision de la constitution était irréalisable.
Plus de quatre mois après la démission du cabinet Vanden Boeynants, le nouveau premier ministre, Gaston Eyskens, présenta aux Chambres son gouvernement catholique-socialiste avec le programme déjà mis au point par Vanden Boeynants. La mission essentielle du gouvernement était la réforme des institutions nationales. Tâche historique qui s'avérera être un défi pour l'homme d'Etat flamand.

Au-delà du point de non-retour

En accédant une fois de plus au poste de premier ministre, Eyskens atteignait au sommet d'une carrière déjà mouvetée. Débutant comme jeune économiste et chef de cabinet d'un ministre, il se révéla, dès avant la deuxième guerre mondiale, comme une des valeurs sûres de la droite flamande. Lorsqu'en 1936 il signa l'accord de concentration avec les nationalistes flamands, il rêvait d'un grand parti catholique flamand. Le déraillement fasciste du V.N.V. dissipa ses

illusions.
Pendant la guerre, Eyskens resta en pays occupé; il vécut sobrement en professeur d'université doublé d'un savant. Après la libération, il fut immédiatement incorporé dans le groupe des leaders du nouveau P.S.C. Rapidement, il devint ministre, puis premier ministre. Par trois fois il allait se trouver à la tête d'un gouvernement : avec les libéraux d'abord, d'août 1949 à juin 1950, lorsqu'il fallut organiser la consultation populaire au sujet du retour du roi Léopold III; de juin 1958 à novembre 1958 avec un cabinet P.S.C. qui prépara le pacte scolaire; de novembre 1958 à mars 1961 enfin et une nouvelle fois avec les libéraux, confronté cette fois à la crise congolaise et à la grève renardiste.
Le flamingant qui, en 1936, était gagné à l'idée d'une Belgique fédérale, allait, en juin 1968, avoir l'occasion, au faîte de sa carrière, de procéder, en tant que chef de gouvernement, à la refonte de la Belgique unitaire. Son bras droit était le socialiste et fédéraliste wallon J.J. Merlot. Parmi les membres de son gouvernement on notait des flamingants comme De Saeger, Van Mechelen, Vlerick, Tindemans, Fayat et Bertrand, et des wallingants comme Cools, Terwagne, Delmotte et Harmegnies.
Le gouvernement se mit à l'œuvre, malgré un double handicap. D'abord le nombre de voix dont il disposait à la Chambre ne lui permettait pas de procéder à la révision de la constitution sans un appui extérieur; ensuite les Bruxellois firent bande à part. Les socialistes de la capitale, les francophones du moins, avaient refusé le portefeuille qu'on leur offrait. Vanden Boeynants s'était retiré de la compétition; quant aux deux ministres catholiques francophones bruxellois, Scheyven et Snoy, ce n'étaient que des poids-plumes politiques.
La réforme de l'Etat proposée se concentrait autour de trois pôles : 1. la décentralisation de la vie économique et la

création de conseils consultatifs économiques régionaux; 2. la reconnaissance de l'autonomie culturelle des communautés; 3. les garanties accordées aux Wallons contre un éventuel abus de pouvoir des Flamands au Parlement.
Une ombre planait sur ces trois points : quelle place réserverait-on à l'agglomération bruxelloise dans les structures nouvelles ?
Eyskens présenta son gouvernement aux Chambres au milieu de l'été et le Parlement partit en vacances après avoir voté la motion de confiance, de sorte que le travail ne put effectivement commencer qu'en automne. Vers la fin de l'année, les deux ministres des relations communautaires, le Flamand L. Tindemans et le Wallon Fr. Terwagne, déposèrent les avant-projets relatifs, aussi bien à la décentralisation économique qu'à l'autonomie culturelle. Ce dernier texte réglait aussi la question des garanties. Il s'agissait alors de vaincre une première difficulté. En effet, si une loi pouvait décider de la réforme économique, l'autonomie culturelle et les garanties exigeaient une revision de la constitution. La coalition gouvernementale n'était à même de résoudre que le premier point; pour le second, il lui fallait appeler l'opposition à la rescousse. Dans le but d'éviter une solution partielle, il fut décidé — malgré les réticences des socialistes wallons — de lier les deux problèmes jusqu'à ce qu'on leur trouve une solution globale.
Eyskens commença par liquider le contentieux le plus brûlant et par régler avec discrétion et efficacité le transfert de Louvain-français et Wallonie. Il y fallut beaucoup de tact pour ne pas humilier davantage les catholiques wallons, fort traumatisés par ce problème, et pour vaincre la méfiance des Flamands, ou les persuader que la formule prudente de l'accord gouvernemental satisferait à terme leurs revendications. L'homme qui, à la tête des professeurs flamands, avait mené la lutte et qui avait été élu député C.V.P. en 1968, le professeur Derine, mécontent du compromis,

déposa son mandat, mais les autres membres de la fraction ne partagèrent pas ses scrupules.
La blessure louvaniste une fois pansée, Eyskens s'attela à la réforme de l'Etat proprement dite.
Il n'y faudrait pas moins de deux longues années de négociations. Aux méfiances réciproques, il fallait consentir sans cesse de nouveaux compromis. Cependant les divergences de vues sur les grands principes de la réforme étaient peu nombreuses. Un consensus national, concernant un grand nombre de points, s'était dégagé à partir des discussions et des palabres en cours depuis 1962. Les tractations entre les partis, parfois vivement critiquées par l'opinion publique, n'étaient pas restées stériles. Mais il demeurait un problème épineux, celui de l'agglomération bruxelloise et de ses six communes périphériques à population francophone protégée. Les parlementaires bruxellois, même s'ils ne faisaient pas partie du gouvernement, jetèrent dans la balance le poids de la capitale, sans réussir cependant à doter Bruxelles d'un statut de communauté à part entière entre la Flandre et la Wallonie. Et, bien qu'ayant imposé Bruxelles comme troisième partenaire indispensable dans les discussions, ils durent accepter que Flamands et Wallons aient leur mot à dire, à côté des Bruxellois, dans ce Brabant que la capitale considérait comme son fief.
Les débats autour de l'autonomie culturelle furent tout aussi laborieux. Le gouvernement chercha surtout à gagner l'appui du P.L.P. Les libéraux, forts de leur position, posèrent leurs conditions; le parti unitaire n'était guère favorable à une régionalisation trop poussée ou à une délégation trop importante des pouvoirs aux conseils culturels. Et l'accord ne se fit pas malgré les nombreuses concessions du gouvernement.
En septembre 1969, après les vacances parlementaires, Eyskens changea brusquement de tactique. Il n'essaya plus de gagner à sa cause les seuls libéraux, mais invita toutes

les fractions de l'opposition à ébaucher, de concert avec les partis gouvernementaux, le visage de la Belgique nouvelle. Les six partis acquiescèrent à sa demande et, du 24 septembre au 30 octobre, leurs délégués se réunirent au sein du 'groupe de travail des 28'. La délégation de la Volksunie, opposée au principe de la procédure arrêtée concernant la protection des minorités, se retira de la dernière séance. Le 13 novembre fut approuvé un rapport remarquable, qui contenait un grand nombre de propositions concrètes portant sur l'adaptation des institutions, l'autonomie culturelle, la décentralisation, les minorités et le statut de la capitale. Fondamentalement, le groupe de travail avait basé le renouvellement des institutions sur trois constatations essentielles:
„1. L'état unitaire, avec sa structure et son fonctionnement tels qu'ils sont réglés actuellement encore par les lois, est dépassé par les événements. Les communautés et les régions doivent prendre la place qui leur revient dans des structures politiques renouvelées et mieux adaptées aux situations propres du pays.
2. Sur le plan culturel, ces structures renouvelées doivent fonder l'autonomie réelle des communautés.
3. La réorganisation et la modernisation des institutions doivent viser à une plus grande efficacité de l'Etat".

Dans cette déclaration de principe, il fut aussi expressément fait mention de la décentralisation au niveau de certaines compétences normatives et des décisions d'exécution.
Ce document était d'une importance capitale, puisque le gouvernement et les partis reconnaissaient unanimement, et ce pour la première fois, que l'état unitaire de 1830 était dépassé. Les adversaires du centralisme eurent enfin gain de cause. La phase des lois linguistiques était définitivement close; le principe de la législation régionale venait d'être reconnu.
Pourtant l'accord n'était pas encore unanime. Au sein du

groupe de travail, de sérieuses divergences subsistaient toujours au sujet de la région bruxelloise et du statut des communes périphériques. Un comité restreint fut chargé, sans résultat, de trouver une solution. Le ministre Tindemans saisit l'occasion pour dresser la liste de tous les griefs que les Flamands formulaient à l'encontre de Bruxelles, aussi bien sur le plan de l'administration, que sur celui de l'enseignement et des soins médicaux. Son document, chiffres à l'appui, prouva que, dans la capitale, les Flamands étaient toujours relégués en seconde zone. De leur côté, les francophones aussi allaient déposer une note de griefs.

Devant la carence des partis, Eyskens, toujours persévérant, prit en main le dossier et, en février 1970, après des séances-marathon multiples et nocturnes, le conseil des ministres soumit au Parlement un texte global : une synthèse des nombreuses suggestions parlementaires confirmant que l'état unitaire était dépassé... Enfin, les politiciens pouvaient souffler. Seuls les Bruxellois francophones boudèrent, n'acceptant pas le carcan dans lequel on 'enfermait' la capitale, impuissante désormais à annexer encore des communes périphériques flamandes.
En juin 1970, le Sénat ouvrit le débat sur les articles les plus épineux de la constitution. Tandis que les Bruxellois francophones se cantonnaient dans une opposition farouche, les nationalistes de la Volksunie apparurent disposés à jouer le jeu du gouvernement. Mais, à mesure que se poursuivaient les discussions, le climat s'assombrit à nouveau. Lorsque le sénateur C.V.P. Hulpiau proposa d'accorder aux conseils culturels le droit de lever des impôts, il ne fut appuyé que par le C.V.P. et la V.U.; une majorité de francophones et de non catholiques flamands rejetèrent sa proposition.
Ce fut cependant l'autre Chambre, qui entre-temps avait entamé les discussions, qui décida de l'issue des débats. Au

milieu de juin, la Volksunie annonça qu'elle renonçait à sa collaboration, sous prétexte que trop de concessions étaient faites aux francophones. Eyskens, une fois de plus, fut acculé à solliciter l'appui des libéraux. Au C.V.P. qui accusait la Volksunie de n'avoir pas approuvé le projet de loi délimitant la région bruxelloise, les nationalistes opposèrent leur refus „de se faire les complices d'une manœuvre visant à museler la majorité parlementaire flamande". Allusion aux majorités spéciales requises par le projet gouvernemental pour le vote de lois portant sur certaines matières.

Le débat à la Chambre, relatif à l'organisation de l'agglomération bruxelloise, échoua à la fin du mois de juin. Il manqua deux voix au gouvernement pour atteindre le quorum requis. La plupart des francophones de l'opposition, de même que les socialistes bruxellois, s'étaient retirés avant le vote... Eyskens accepta l'échec avec sang-froid et annonça une nouvelle tentative après les vacances, tentative qui eut effectivement lieu. Mais, sur ces entrefaites, les élections communales du 11 octobre 1970 avaient quelque peu brouillé les cartes politiques.

Les élections n'avaient pas tellement porté préjudice aux partis gouvernementaux, mais, dans la capitale, le Front des Francophones, grâce à une avance spectaculaire, était devenu la formation politique la plus puissante. Cette avance du F.D.F. n'était pas sans inquiéter les chefs des partis traditionnels. Ils n'étaient pas insensibles au danger qui menaçait de faire tomber Bruxelles aux mains d'un extrémisme antiflamand, ce qui aurait pu être fatal à la Belgique tout entière. C'est pourquoi, soudain, se manifesta un désir plus vif d'aplanir les difficultés et d'opposer au radicalisme une unanimité nationale.

Le député Simonet et les socialistes francophones de la capitale — les grands vaincus des élections — furent les premiers à nouer des contacts avec Eyskens, en lui faisant miroiter la possibilité d'une collaboration, mais sous certaines conditions, qui, toutefois, parurent inacceptables à la droite flamande.

Peu de temps après, une proposition de la direction du parti libéral vint dégeler l'affaire. Certaines concessions seraient consenties aux revendications flamandes : c'est ainsi que l'agglomération bruxelloise resterait limitée aux 19 communes et les communes périphériques flamandes seraient formellement reconnues comme partie intégrante du territoire néerlandophone; en échange les Flamands accorderaient au père de famille le libre choix du régime linguistique pour l'enseignement des enfants, et ce à partir du 1er septembre 1971.

Ce dernier point était assurément un des problèmes les plus épineux de tout le dossier, pour la bonne raison que les Flamands avaient toujours mis un point d'honneur à protéger légalement les enfants flamands à Bruxelles contre la francisation. Cependant, dans les dernières années, leur intransigeance s'était quelque peu relâchée, car la loi s'était révélée inadéquate. En effet, entre 1967 et 1969, sur les 47.000 déclarations linguistiques faites par des pères de famille, les inspecteurs n'avaient retenu qu'une cinquantaine de cas douteux, pour ne renvoyer finalement vers les classes néerlandaises que 17 enfants en provenance de classes françaises...

Ainsi donc les Bruxellois flamands étaient de plus en plus disposés à renoncer à un système basé sur la contrainte, en échange d'écoles néerlandaises de qualité, qui supprimeraient pour les parents l'attrait de l'enseignement français. En général, on estimait qu'un délai de six ans serait nécessaire pour mettre en place, dans la capitale, une infrastructure socio-culturelle néerlandaise adéquate. La proposition libérale exigeait cependant le rétablissement de la liberté endéans l'année. Après quelque hésitation, le gouvernement acquiesça et promit aux Flamands d'ouvrir à Bruxelles,

pour le 1er septembre 1971, quelques dizaines d'écoles primaires, de même que des institutions préscolaires néerlandaises. Du côté nationaliste, la décision fut tenue pour une capitulation sur un des principes les plus fondamentaux du Mouvement flamand; les Flamands du C.V.P. espéraient cependant que, grâce au compromis, la solution était en vue. En effet, on envisageait la création d'un collège de gestion pour l'agglomération bruxelloise, où siégeraient paritairement Flamands et francophones, tandis qu'une commission culturelle néerlandaise se chargerait de l'enseignement dans la capitale; l'agglomération serait 'enfermée dans un carcan'; le caractère néerlandais des communes périphériques serait confirmé, tandis qu'autour de la capitale serait créée une 'ceinture d'émeraude"* constituée de cinq fédérations périphériques flamandes englobant également les communes à population francophone protégée. Bref, le C.V.P. y voyait un moyen d'arrêter l'expansion de Bruxelles. Il fallut encore un mois d'âpres débats avant de faire voter à la Chambre les textes gouvernementaux et si, au dernier moment encore, tout sembla de nouveau sur le point de s'écrouler, la veille de Noël 1970, le gouvernement put inscrire à son actif la fin de la revision de la constitution.
Entre-temps la loi sur la décentralisation économique fut également approuvée.
Ainsi donc la victoire était assurée, du moins dans les textes. Restait la conversion en lois et arrêtés d'exécution. Eyskens allait y employer toutes ses forces, sa patience étonnante et ses qualités tactiques éprouvées. Et dans ce dernier round encore, il se révéla le plus fort, d'une ténacité et d'une résistance à toute épreuve.

* Allusion à la fameuse phrase de l'écrivain hollandais *Multatuli* (1820-1887) caractérisant, dans son livre célèbre 'Max Havelaar' (1860) les Indes orientales néerlandaises de „magnifique empire qu'est l'Insulinde, s'enroulant autour de l'équateur, comme une ceinture d'émeraude" (N.D.T.).

Trois lois étaient encore inscrites à l'ordre du jour, la première partageait le Parlement en deux groupes linguistiques formant chacun le conseil culturel de leur communauté, la seconde était relative à la compétence de ces conseils, et la dernière portait création d'agglomérations urbaines et de fédérations communales.
La loi sur la compétence des conseils culturels requérant une majorité spéciale, Eyskens dut, une fois de plus, faire appel à l'opposition, ce qui le contraignit à jouer un périlleux numéro d'équilibriste. En effet, le C.V.P. avait annoncé qu'il n'approuverait pas le projet sur les agglomérations, ainsi que la liberté du père de famille, si le problème de l'autonomie culturelle tout entier n'était pas résolu conjointement.
Les libéraux flamands se montrèrent disposés à apporter les voix nécessaires, à condition que soit signé au préalable un pacte culturel de protection des minorités 'idéologiques', ceci afin d'éviter, en une Flandre devenue culturellement autonome, tout danger de dictature 'cléricale'. Ce que le parti libéral désirait en réalité, c'était la revision de la politique culturelle, la nomination d'un plus grand nombre de non-catholiques dans les commissions culturelles et un accroissement de subsides pour les associations culturelles laïques. Les prétentions libérales n'étaient pas faites pour plaire à la droite flamande, mais Eyskens ne pouvait se passer du soutien du P.L.P.
Lorsque, finalement, les socialistes, se rappelant qu'ils formaient eux aussi un parti non confessionnel, approuvèrent le pacte culturel, l'affaire fut réglée. Après un ultime accrochage et une dernière concession aux libéraux, les trois partis traditionnels signèrent, le 15 juillet 1971, un pré-accord culturel. Le lendemain, les nouvelles lois furent approuvées en bloc, grâce à l'aide des libéraux. Le vote au Sénat ne fut plus qu'une formalité.
Cela permit à Eyskens de mener à terme la deuxième phase

de son projet de réforme et d'entamer la troisième. Car, après la revision de la constitution et l'approbation des lois d'application, il s'agissait de faire démarrer les institutions nouvelles.

Sur ces entrefaites, la Belgique, en effet, était devenue un état composé de trois communautés culturelles, de trois régions économiques et de quatre régions linguistiques officiellement reconnues, mais encore fallait-il créer des organes exécutifs et/ou législatifs coiffant ces entités nouvelles, ce qui ne devait pas entraîner de graves difficultés en ce qui concernait les parlements culturels où siégaient les parlementaires 'nationaux'.

Sur base de l'art. 107 quater de la constitution, certains régionalistes cependant prétendaient concéder aux nouvelles régions, le pouvoir de décision dans un nombre très étendu de matières socio-économiques. Ces régionalistes n'étaient pas d'accord avec le fait que, si les communautés disposaient d'un pouvoir d'autonomie en matière culturelle, dans les autres domaines elles ne disposaient que d'une voix consultative, laissant aux instances centrales le pouvoir de décision. Ils estimaient indispensable une régionalisation plus poussée, la création d'assemblées régionales et d'organes exécutifs. C'eut été là un pas important dans la voie du fédéralisme, qu'en haut lieu on n'envisageait pas sans de fortes inquiétudes. Bien entendu, les partis fédéraliste abondèrent dans ce sens, de même que pas mal de membres du C.V.P. La direction du parti socialiste se montra cependant réticente. Quant à Eyskens, il hésita lui aussi.

Après les vacances parlementaires de 1971, il apparut bien vite que la coalition gouvernementale ne disposait plus du souffle nécessaire pour aborder cette nouvelle difficulté, car trop de dards empoisonnés lui transperçaient la chair. La discussion sur les Fourons fut certes parmi les facteurs les plus paralysants. Dans la précipitation des derniers pourparlers parlementaires précédant les vacances, le gouvernement s'était vu dans l'obligation de préparer un projet de loi répondant aux exigences wallonnes qui voulaient détacher les Fourons du Limbourg. Si la proposition n'allait pas jusqu'à rattacher à nouveau les six villages flamands à la province de Liège, elle déplut pourtant aux Flamands, qui y voyaient une rupture unilatérale des accords de 1962. Après les vacances viendrait le moment de couler en forme de loi ce projet dont les Flamands ne voulaient à aucun prix…

L'entente entre les chrétiens et les socialistes s'était entretemps progressivement détériorée, depuis que le Wallon Leburton, antifédéraliste notoire, avait été élu à la présidence du P.S.B. Des allergies personnelles allaient jouer également et Leburton allait racontant à qui voulait l'entendre, qu'il en avait marre du C.V.P.

En automne, les activités d'Eyskens reprirent, mais avec du plomb dans l'aile, car le premier ministre dut se rendre à l'évidence : sa majorité n'était plus qu'une fiction, aucun problème ne pouvant plus être abordé avec quelque chance de succès.

Le redressement économique exigeait un gouvernement fort; peu désireux d'agoniser huit mois encore, Eyskens prononça la dissolution anticipée des Chambres.

Lors des élections du 7 novembre 1971, les partis gouvernementaux maintinrent leurs positions. Les chrétiens perdirent deux sièges, les socialistes en gagnèrent deux. Les libéraux, s'étant effrités en fractions ennemies, essuyèrent des pertes sérieuses, en Wallonie et à Bruxelles. Le gain des nationalistes flamands ne fut que d'un siège, tandis que le Front des Francophones et le Rassemblement Wallon doublaient les leurs à la Chambre.

Deux semaines plus tard, le front francophone de Bruxelles remportait la majorité absolue au nouveau conseil d'agglomération, ce qui enraya la mécanisme élaboré par le gouvernement pour la protection des néerlandophones dans la

capitale. Après une crise gouvernementale qui dura deux mois, Eyskens revint au pouvoir en janvier 1972, avec la même coalition. Les partenaires gouvernementaux manquaient d'enthousiasme certes, mais il n'y avait pas d'autre alternative. Les fractions fédéralistes prétendaient que, sous l'influence des socialistes et des nouveaux ministres bruxellois, Simonet et Vanden Boeynants, la régionalisation allait être sabotée, ce qui fut démenti par Eyskens. De plus, il annonça que la mise sur pied de la régionalisation serait inscrite à l'ordre du jour du Parlement et, pour ce faire, il lança un appel à la collaboration de l'opposition.
A la Chambre, au cours des débats sur le programme gouvernemental, des oppositions se firent jour entre, d'une part, le socialiste Leburton, mettant les fédéralistes au défi d'arriver à un accord gouvernemental valable, et d'autre part, le wallingant Périn, invitant la droite flamande ainsi que la Volksunie à unir leurs efforts à ceux des fédéralistes wallons pour la création d'un état belge fédéral. Entre ces deux extrêmes, le C.V.P. ainsi que les nationalistes flamands, continuèrent à observer un silence prudent...
Du côté des socialistes et des libéraux flamands, le silence fut tout aussi circonspect...
Tous se sentaient confrontés aux questions essentielles dont dépendait le sort même de la communauté flamande. Ils étaient conscients du fait que, dans la voie de l'autonomie garantissant le développement des régions, le point de non-retour venait d'être atteint et dépassé. Tout retour en arrière était exclu. La nouvelle constitution avait été promulguée et était déjà d'application. Les parlements culturels aussi s'étaient déjà réunis. La création de parlements régionaux n'était plus qu'une question de temps. Ces institutions cependant ne pouvaient être considérées comme des objectifs en soi, mais plutôt comme des moyens, à côté de tant d'autres, sur la voie de la maturité politique, de la libération de l'esprit, du bien-être économique et social, bref

comme autant d'étapes sur la voie d'un plus complet épanouissement.

Mais comment y atteindre dans l'état actuel des choses ? Par quelle voie ? Avec quels partenaires ? Durant des siècles, les populations des Pays-Bas méridionaux avaient été maintenues dans un état de tutelle politique. Jamais elles n'eurent l'occasion, en tant que communauté, d'intervenir dans leur propre destinée. D'autres en décidaient à leur place, dans le cadre et en fonction de structures qui n'avaient pas été conçues par la communauté elle-même. Cette époque-là était définitivement révolue. Un droit d'autogouvernement déjà fort poussé avait sanctionné le réveil de la Flandre.

Sous la conduite discrète, mais vigoureuse, de Robert Vandekerckhove, la droite flamande, soucieuse de fixer les nouvelles limites de l'Etat et des communautés, avait adopté, durant ces dernières années, des positions plus radicales. Du côté des nationalistes on continuait à se poser l'éternelle question : l'avenir de la Flandre est-il lié au sort de l'Etat belge ou exige-t-il l'indépendance complète d'un territoire intégré dans l'Europe de demain ? Malgré le pacte culturel, les socialistes et les libéraux flamands, complexés par leur position minoritaire, s'en tenaient aux formules traditionnelles, mais mieux adaptées aux exigences de notre époque. Partout apparaissait l'influence d'hommes jeunes, désireux d'assumer la relève.

Dans pareil climat d'attente et d'incertitude, le dernier cabinet Eyskens ne put survivre que quelques mois. En effet, au sein de la coalition de centre-gauche, tellement ébranlée en 1971, l'entente ne put être rétablie. La mise-en-place de la régionalisation laissait le parti socialiste réticent et toutes les tentatives entreprises par le C.V.P. pour s'assurer l'appui de l'opposition en vue de la création de conseils régionaux flamands, wallons et bruxellois demeurèrent vaines. En automne 1972, nouveau court-circuit.

L'expédient habituel pour les périodes de forte crise — la formation d'une grande coalition — ne fut adopté qu'après de longues négociations, en janvier 1973. Le nouvel accord gouvernemental prévoyait un ensemble de compromis : le président du parti socialiste, Leburton, succédant à Eyskens, paya ce cadeau d'une série de concessions — et non des moindres — faites au C.V.P., tandis que les libéraux se voyaient enfin sortis d'une opposition stérile; quant aux démocrates-chrétiens, ils obtenaient la garantie que l'autonomie des régions deviendrait effective (Le C.V.P. renonça à une régionalisation plus poussée encore, en échange de nouveaux subsides de l'Etat à l'école catholique.) Les trois grands partis traditionnels, en ce début de l'année 1973, se promettaient une pacification pour un quart au moins. Mais, dans l'opposition, les fédéralistes préparaient une nouvelle offensive…

épilogue

Il est permis à un historien, analysant les faits rapportés dans des archives jaunies, d'en tirer, dans ses écrits, des conclusions précises. Quant au chroniqueur, qui relate des événements encore tout chauds, ou qui s'attache à la psychologie de contemporains, tout affairés encore à leurs projets, il sait combien il est difficile de fixer un moment de ce courant. Une génération d'hommes d'Etat, qui voit s'approcher la fin de son mandat, peut songer à en établir le bilan. La vie n'en continue pas moins son cours. La Flandre est en marche et il est impossible de prédire où la mènera son évolution. Dans le cadre limité de ce livre, il nous a été impossible d'exposer d'une façon approfondie les forces parfois souterraines qui travaillent notre société, les interactions des événements politiques et économiques, la polarisation d'antagonismes fondamentaux, les excroissances de la société de bien-être, l'opinion publique et ses multiples facettes, le rôle des partis et des groupes de pression, les aspects favorables ou nocifs du nationalisme, du progressisme et d'autres mouvements en 'isme'. Voilà autant de thèmes se prêtant à des études particulières. Le but que nous nous sommes imposé était de dégager le fil conducteur du développement de la communauté néerlandophone dans nos régions, depuis les origines du Moyen Age jusqu'aux cent dernières années, où de petits groupes d'intellectuels pondérés arrivèrent à relever un peuple de sa déchéance, à l'éduquer, à lui rendre la conscience d'une valeur qui s'était jadis épanouie, mais depuis lors, avait connu la stagnation et la décadence.

La Flandre qui prend forme sous nos yeux n'est plus celle des comtes et des beffrois, et l'Etat belge n'a rien de comparable aux Pays-Bas catholiques de Philippe II. Le Benelux n'est pas non plus le Cercle de Bourgogne. Et pourtant, il y a une ressemblance quelque part, une affinité, une continuité. La géographie a ses lois et ses empreintes culturelles sont profondes : le vent que charrient les tempêtes de l'histoire ne les efface que lentement, de sorte qu'après des siècles, elles demeurent toujours visibles. Enlevez le sable, le fil réapparaît.

L'histoire cependant n'est qu'un jeu de hasard. A tout instant tout est possible. La Flandre aurait bien pu ne jamais exister, ni ne jamais renaître. Son caractère néerlandais fut menacé à diverses reprises, ne fut-ce par le désintérêt persistant voué à sa langue et sa culture.

Notre société contemporaine a ceci de caractéristique que, grâce au souci constant des autorités en matière d'enseignement et d'éducation permanente, le peuple se trouve maintenant mieux protégé contre l'aliénation et l'aculturation. De plus, l'interpénétratation de l'élite flamingante et d'un public mieux informé et protégé par des droits démocratiques, est une garantie de l'épanouissement futur de la communauté flamande. Dans pareil contexte des tendances diverses et divergentes peuvent se faire jour. Nous vivons dans une société pluraliste, tolérante par tradition; la pensée et la forme peuvent s'y développer en toute liberté. L'opinion flamingante 'de gauche' qui s'est manifestée parfois de façon si impérieuse après la deuxième guerre mondiale, a son utilité au même titre que l'intervention des managers et des économistes qui, plus encore que les hommes politiques, portent loin le prestige de la Flandre.

Il s'agit d'un développement irréversible. Les Flamands

s'approprieront de mieux en mieux la langue et l'esprit de leur ethnie et prendront toujours davantage conscience de leur puissance politique, ainsi que de leurs possibilités économiques.

Le vieil adage, affirmant qu'il fallait être d'abord Flamand et ensuite seulement citoyen belge, n'est pas prêt de tomber en désuétude. Il ne sous-entend pourtant pas le mépris de la Belgique. L'époque est révolue où l'Etat n'était, aux yeux des Flamands, qu'un concept vide de sens. Il est possible que la machine se grippe encore parfois, mais la communauté flamande dispose des moyens d'y remédier.

La tâche la plus urgente consiste à adapter notre Belgique à la prise de conscience communautaire des Flamands et des francophones. L'opération s'avère délicate, car il est plus difficile de transformer un état centralisateur en un état fédéral, que de regrouper de petites communautés autonomes. En une première phase il s'agit de défaire les liens trop étroitement noués dans le passé, de resouder ensuite les éléments épars en un tout harmonieux. L'opération n'a des chances d'aboutir que si chacun s'imprègne de cette philosophie.

Quoi qu'il en soit, les Flamands, quant à eux, semblent bien décidés à valoriser et à consolider pleinement l'Etat belge; maintenant qu'ils sont devenus des citoyens à part entière, ils sont disposés à entamer à ce sujet, avec leurs concitoyens wallons, un dialogue franc. Ce qui suppose pour Bruxelles un règlement adapté à ses fonctions de capitale.

Cette évolution permettrait-elle d'entrevoir avec le royaume des Pays-Bas, un rapprochement qui ne soit pas que culturel ? Le XXIe siècle verra-t-il se réaliser l'unification manquée du XVIe et du XIXe siècle ? Il n'est pas interdit de le penser, ni d'y rêver. Jusqu'à nouvel ordre cependant, il paraît plus sage de tenir compte de la situation présente, des différences qui distinguent les deux états, et des multiples possibilités qui s'offrent pour œuvrer au sein du

Benelux à la réalisation d'un dessein plus ambitieux encore: l'unification de l'Europe.
Il va de soi que, dans pareille Europe, les habitants des 'bas pays près de la mer' seront forcés d'unir leurs efforts en vue de la sauvegarde de ce pays de deltas dont la santé morale et physique, dont l'existence même sont menacés par la richesse industrielle et la fièvre de consommation.

Les Flamands ne sont plus les parents pauvres de la Belgique, et déjà ils s'affirment sur le forum international. Peu de peuples de par le monde disposent de tant d'atouts : une culture ancienne, une infrastructure économique dynamique, une situation géographique exceptionnelle, une conscience politique renaissante, une foi renouvelée en leurs dons originaux, leur puissance de travail, leur connaissance des langues et une tradition de tolérance et d'ouverture démocratique.
Les générations passées ne se sont pas trompées dans leur dessein, elles qui, dans des circonstances souvent ingrates, parfois aux prises avec les pires contraintes, ont tiré le peuple de sa stagnation pour le lancer sur la voie de la régénération et de l'autonomie.
Le peuple flamand vit. Il n'échappe pas aux luttes d'influences auxquelles se livrent, dans toute société, des groupes d'intérêts économiques et sociaux concurrents. Des confrontations idéologiques et morales tantôt le fécondent, tantôt l'ébranlent. Toujours est-il que c'est un peuple qui se serre les coudes et qui cherche à s'affirmer dans le monde.
Le Mouvement flamand approche de son terme.
Les Flamands entament une nouvelle existence.